Mães em Oração

Isis Regina

Mães em Oração

Thomas Nelson
Brasil®
Rio de Janeiro, 2013

Mães em oração
Isis Regina

Publisher	*Omar de Souza*
Editor responsável	*Renata Sturm*
Produção editorial	*Thalita Aragão Ramalho*
Capa	*Douglas Lucas*
Preparação de original	*Marcelo Santos*
Revisão	*Clarisse Cintra* *Daniel Borges*
Diagramação	*Trio Studio*

CIP-BRASIL. CATALOGAÇÃO NA FONTE
SINDICATO NACIONAL DOS EDITORES DE LIVROS, RJ

R262m

Regina, Isis
Mães em oração/Isis Regina. - Rio de Janeiro: Thomas Nelson Brasil, 2012.

ISBN 978-85-7860-363-2

1. Oração - Cristianismo. 2. Mães - Vida religiosa. I. Título.

12-8221. CDD: 248.32
CDU: 27-534-2

Thomas Nelson Brasil é uma marca licenciada à Vida Melhor Editora S.A.

Rua Nova Jerusalém, 345 – Bonsucesso
Rio de Janeiro – RJ – CEP 21402-325
Tel.: (21) 3882-8200 – Fax: (21) 3882-8212 / 3882-8313
www.thomasnelson.com.br

As palavras jamais conseguiriam expressar minha gratidão a Deus pela fé que vivo, por ser aquele que inclina seus ouvidos e responde às minhas orações, por tudo o que fez e faz em minha vida, por ser a razão de tudo. Suas obras são incontáveis!

Agradeço ao meu amado esposo, Mauricio, um homem a quem tenho a honra de estar unida em uma aliança de amor e fé, um presente de Deus muito especial para mim. À minha amada filha, Isabela, que me inspira a cada vez mais abençoá-la com minhas orações, dando-me a alegria de ser sua mãe.

A todas as amigas queridas e Mães em Oração, mulheres de fé que fielmente dedicam parte de seu tempo para orar pelos filhos e por todos os demais. A todos os que participaram desta obra, oferecendo apoio a todo o tempo.

Em especial, à querida Ester Bezerra, que tem em sua vida um verdadeiro exemplo de fé. Mãe e mulher de oração, ela sempre revela sua confiança em Deus com sua serenidade constante, e está pronta para oferecer a Água da Vida que transborda no blog Fonte a jorrar, sendo uma inspiração para mim e para todas as mães.

Obrigada por serem instrumentos usados para fazer a diferença!

À minha querida mãe, Ivete de Magalhães Brito (in memorian), uma mulher, mãe e amiga admirável que me ensinou, por intermédio de sua vida, o poder da oração. Uma mulher que viveu a fé a todo o tempo e que foi um referencial de perseverança. Com seu testemunho, ela me ajudou a ver e saber que não há maior alegria do que ter a honra de viver para servir.

Sumário

Prefácio

Atitudes falam mais do que palavras

Ester Bezerra

Ser mãe é a maior responsabilidade que uma mulher pode ter. Não se trata apenas de gerar uma criança no ventre, pois a maternidade é algo muito maior do que o evento biológico que traz um novo ser humano ao mundo, e é disso que trata este livro. Em uma sociedade injusta e perversa como a dos dias atuais, formar um ser humano é um desafio cada vez mais difícil. Por isso entendo que este livro é dedicado a todas as mães, seja ela de sangue ou espiritual.

Uma das maiores características da mãe é a capacidade de lutar por seus filhos em qualquer situação; mas, e quando o problema é maior do que suas condições físicas? O que fazer? Como enfrentar a sensação de impotência? E mesmo se não houver problema aparente, como garantir a segurança de seus filhos? De que maneira tomar as atitudes corretas como mãe e mulher? Como saber se está acertando? As respostas para essas e outras tantas perguntas estão nos relatos reunidos aqui: mensagens capazes de ajudar a formar mulheres mais sábias e mães mais equilibradas, verdadeiros exemplos para seus filhos.

Muitas mães têm versículos bíblicos na ponta da língua, porém mais importante é saber praticar o que é ensinado na Palavra de Deus para que seus filhos a vejam como modelo no lar e, assim, tenham um ponto de apoio espiritual em seu desenvolvimento. Suas atitudes falam muito mais do que meras palavras e toneladas de conselhos.

Além dos relatos, nestas preciosas páginas você encontrará histórias de mães que conheceram o poder da oração. São mulheres que confiaram e experimentaram o poder de Deus em sua vida, mesmo quando tudo parecia estar perdido. Como diz a Palavra de Deus: "A oração de um justo é poderosa e eficaz" (Tiago 5:16).

Não há apenas histórias de dores de parto após o nascimento de seus filhos, mas também relatos de alegria, assim como após as dores vem aquele primeiro choro do recém-nascido. Essas mães testificam que vale a pena crer e usar o meio mais eficaz de se ver resultados: a oração.

Por mais que os filhos muitas vezes não queiram dar ouvidos aos pais e façam tudo para viver uma vida contrária ao que aprenderam na infância, a súplica de suas mães diante do trono de Deus muda alma e coração. Assim essas mães acreditaram e fizeram parte dessa força que move a mão de Deus. Que maravilha! Agora há alegria em seus lábios, pois, por meio dos seus clamores, puderam ver seus filhos libertos das doenças, dos vícios e dos maus caminhos.

Quando suas orações parecem não surtir efeito e a dor consome suas forças, onde está o problema? Será que sua fé está sendo utilizada corretamente? Uma mãe em oração não desiste. É uma guerreira, não desmorona. Sua fé se renova a cada dia, é uma força invisível e interior que ao devido tempo dá seu fruto. As próximas páginas ensinarão você a exercitar essa fé inteligente e eficaz para que o sentimento que acompanha a maternidade não trabalhe contra o resultado que você, como mãe, deseja alcançar. Muitas, por não terem esse equilíbrio, afastam seus filhos ainda mais e se destroem com ansiedade e sofrimento.

Se você é mãe ou pretende ser, ou se você conhece alguma mãe que poderia ser ajudada por intermédio deste livro, prepare-se para viver uma experiência que a fará encontrar o caminho para ver o impossível se materializar. Como as mães que ajudaram na elaboração deste projeto, sou feliz por confiar em Deus e também grata porque ele me escolheu, como escolheu a Abraão, para formar uma nação de Deus. Esse é também o chamado para todas as mães iniciarem esta jornada.

Apresentação

Mães em Oração — Como tudo começou

Isis Regina

Creio que toda mãe é como uma águia que, ao soltar seus filhotes para o primeiro voo, permanece firme, contemplando, pronta para ajudá--los, se for necessário.

Comecei o Mães em Oração desejando orar não só por minha filha, cobrindo-a de bênçãos por intermédio das orações, mas também por todos os filhos dos nossos amigos, familiares, de pessoas próximas ou não. Compartilhei esse desejo com duas amigas queridas, Marilene Cardozo e Carlinda Tinôco, quando convidei-as para fazer parte do propósito de oração. Elas se uniram prontamente na mesma fé para orarmos todos os dias, e assim demos início a esse propósito.

Que mãe não fica feliz ao saber que o filho está dentro do centro da vontade de Deus? Que as bênçãos de Deus estão sobre sua vida? No entanto, batalhas e muitas lutas são enfrentadas por quem assume esse propósito. Do mesmo modo que Ana se deparou com lutas para ser mãe, hoje muitas mulheres enfrentam dificuldades, cada uma com sua história, seu momento conturbado. Todas, porém, sentem o desejo de ver o melhor se realizando na vida de seus filhos.

No dia 3 de maio de 2011 dei início ao blog no qual, desde então, diversas mães escrevem, publicando suas experiências, relatadas para fortalecer a fé das muitas leitoras que passam por ali. Várias pessoas perguntam como tudo começou, e relato que, como mãe, fui despertada para esse propósito a partir de um desejo que Deus fez nascer em minha vida. Tenho a consciência de que temos de agir como Ana, que entregou seu filho nas mãos de Deus. Uma mãe que ora não precisa necessariamente ser despertada por um momento difícil. No entanto, consciente do poder da oração por intermédio da fé, ela deve orar em todas as circunstâncias de sua vida.

Sabemos que não podemos permanecer a todo instante perto de nossos filhos, protegendo-os. Apenas Deus pode fazer isso. Mesmo assim, sabemos que essa confiança no Pai só é possível se, antes de colocar quem tanto amamos nas mãos dele, entregarmos primeiramente nossa vida, porque assim temos a segurança de estar sendo guiadas na sabedoria que Deus nos concede.

Hoje colhemos os frutos da fé plantada por súplicas e orações. Muitos depoimentos têm chegado na forma de mensagens de mães que já começam a ver diferença em sua vida e na de seus filhos. Se desejamos alcançar vitórias e milagres, não podemos esmorecer diante de sacrifícios. É preciso entrega e determinação. Como temos visto e aprendido, temos de usar apenas a fé pelo que se espera ver. Quando menos se espera, em um dia que poderia ser apenas mais uma data no calendário, Deus nos surpreende e honra nossa plena confiança em seu agir. Esse dia se torna memorável.

Quando oramos e determinamos, confiando nossos filhos e todos os demais nas mãos de Deus, o Senhor age porque ele é fiel! Os sentimentos só nos fazem chorar na hora da dor, mas a fé em ação enxuga as lágrimas porque traz a solução que se encontra somente em Deus.

Eu tive uma mãe que orou por mim. Sou fruto dessas orações, e aqui estou, ao lado de muitas mães e amigas, orando por nossos filhos e por todos que fazem parte desse propósito.

"Por isso jejuamos e suplicamos essa bênção ao nosso Deus, e ele nos atendeu" (Esdras 8:23).

A força de uma mãe está em sua fé

Isis Regina

Você tem fé? "Ora, a fé é a certeza daquilo que esperamos e a prova das coisas que não vemos" (Hebreus 11:1). A fé nos aproxima de Deus. "Sem fé é impossível agradar a Deus, pois quem dele se aproxima precisa crer que ele existe e que recompensa aqueles que o buscam" (Hebreus 11:6).

Acha que tem pouca fé para alcançar a vitória? "Ele respondeu: 'Se vocês tiverem fé do tamanho de uma semente de mostarda, poderão dizer a esta amoreira: 'Arranque-se e plante-se no mar', e ela lhes obedecerá'" (Lucas 17:6). Duvide da dúvida. "Peça-a, porém, com fé, sem duvidar, pois aquele que duvida é semelhante à onda do mar, levada e agitada pelo vento. Não pense tal pessoa que receberá coisa alguma do Senhor [...]" (Tiago 1:6-7).

Se você crê que, lendo este livro, poderá receber a ajuda de que precisa ou poderá ajudar alguém, então você tem fé. "E tudo o que pedirem em oração, se crerem, vocês receberão" (Mateus 21:22).

Mãe, não esmoreça nem desista. A reta final é a parte mais dura da prova, por isso requer sacrifícios. Mantenha seus olhos fixos no alvo, no ponto onde você quer chegar, e lá receberá sua recompensa. "Por isso, não abram mão da confiança que vocês têm; ela será ricamente recompensada" (Hebreus 10:35). Ore, creia e confie.

É preciso estar atenta em todo o tempo.

Laços

Sylvia Jane Crivella

"Aquele que julga estar firme, cuide-se para que não caia!" (1Coríntios 10:12)

Recentemente me escandalizei comigo mesma. Como poderia uma pessoa que ama Deus acima de tudo e de todos, que busca sua face todos os dias, dizer algo tão cruel para seu neto? Foi uma piadinha que, para um ouvinte alheio, não teria nada demais. No entanto, para meu amado neto pré-adolescente, atingiu o alvo e feriu seu pequeno coração.

Fiquei me perguntando por que havia agido daquela maneira. Percebi que, de profeta a jumento, basta um momento. Uma palavra mal colocada ou uma atitude impensada pode levar a mais santa das criaturas a catapultar sua vida para um completo desastre. Pedi perdão ao meu netinho enquanto enxugava suas lágrimas. Eu me senti uma traidora, pois uma ofensa proveniente de um estranho não dói tanto quanto vinda de alguém que amamos.

Em minha longa caminhada com meu Senhor, vi homens e mulheres de Deus se desconverterem (se é que algum dia se converteram de fato), mudarem de rumo e tomarem um caminho completamente oposto. Vi outros, levados pelas emoções e pelos sentimentos, confundirem tudo e ficarem completamente desorientados. O *cristão-salada* é um problema. Precisamos ficar atentos e construir nossa vida sobre o temor ao Senhor, pois aí está o princípio da sabedoria. Sem esse temor, nada mais tem valor.

O pequeno incidente serviu para abrir meus olhos, vigiar e orar mais. O maior perigo para nós, cristãos, é achar que estamos muito bem, que o nosso saldo é positivo. Achamos que podemos viver na paz e na regalia. Foi isso que o rei David pensou ao passear no terraço enquanto seu exército dava a vida por seu reino. Deu no que deu.

A Bíblia diz que o diabo anda ao derredor, procurando ocasião. A segurança do homem e da mulher de Deus é estar em constante batalha, e isso requer sacrifício — sacrifício de nossos conceitos e preconceitos; sacrifício de nossa autoimagem e de nossa vida.

Que todos nós estejamos atentos aos sutis laços que existem pelo caminho. Que busquemos, mais do que nunca, ser como nosso amado Mestre — aquele que, movido de íntima compaixão, nunca atirou a primeira pedra. Que nossa boca seja fonte de palavras de vida, e não de morte.

Quero continuar combatendo o bom combate, anunciando o Reino até que meu Rei volte. Que Deus nos abençoe.

Mudanças

Isis Regina

Qual é a mãe que nunca passou pela experiência de fazer uma mudança? Achamos que temos somente o necessário, mas quando vamos preparar a mudança, vemos o acúmulo de coisas desnecessárias dentro de casa. Geralmente, são miudezas, e por isso são deixadas de lado. Aparentemente, não fazem a menor diferença, mas no momento de fazermos uma mudança, elas se tornam gigantescas, e temos de nos desfazer delas para operar a mudança da melhor maneira. E não é exatamente assim com a nossa vida?

Como mães, precisamos fazer mudanças constantes para acompanhar o crescimento de um filho. Até que ele amadureça, vamos mudando a tática, o jeitinho de lidar com algumas situações. No entanto, algumas mães não conseguem mudar nunca. Por quê? Porque falar em mudança para elas é algo que sugere a ideia de um sacrifício tão grande que preferem manterem-se da maneira como estão. Toda essa dificuldade, segundo a visão dessas mães, deve-se à existência das miudezas agregadas durante a vida — muitas, diga-se de passagem, de maneira imperceptível, como atitudes desnecessárias, pensamentos não produtivos, dúvidas, medos.

Por essa razão, falar em mudança se torna um fardo para essas mães. Manter-se adormecidas, sem mexer em nada de sua vida, proporciona a elas uma sensação de estabilidade que, na verdade, é enganosa, como se aceitassem viver em castelos construídos sobre a areia.

É preciso estar pronta para fazer uma mudança e se livrar das miudezas que vão sendo acumuladas diariamente sobre a vida, aquelas que, com o tempo, acabam se tornando fardos para o coração. O desafio é trocar o coração frágil, machucado, governado pelas emoções por um novo, regido pela fé.

Se você já não aguenta mais a situação que está vivendo com seu filho, é hora de fazer uma mudança! Comece se desfazendo de todas as coisinhas desnecessárias que guardou dentro de si por sua extrema sensibilidade — quem sabe por inflexibilidade, ou até mesmo por um pouco de teimosia?

Estar pronta para fazer uma mudança significa estar pronta para o novo, e quem não está pronto para mudar não pode viver o novo. Não consegue fazer isso sozinha? Peça a Deus. Mas faça isso determinada em seu desejo de mudar "e ele agirá", como garante o Salmo 37, no versículo cinco.

Enxergando com os olhos da fé

Luciene Barbosa

Hoje, ao abrir a janela do meu quarto, vejo somente prédios ao redor. Que pena que na cidade grande não posso acordar e deparar com o verde em sua plenitude ou ouvir o canto livre dos pássaros. Contemplar a perfeição das obras do Criador do universo, não existe nada mais belo. Mas digo a mim mesma: se agora fechar meus olhos e reclinar minha cabeça, que obra bela tenho dentro de mim para contemplar?

Quando uma mulher engravida, ela se pega pensando em como será o rostinho do filho, como será até mesmo o seu sorriso. Mas os meses, os anos se passam, vemos o nosso fruto crescer, desenvolver e, então, pensamos: como manter o controle daquele ser que hoje tem opinião própria? Suas vontades ganham autonomia, ele não quer mais viver de acordo com as nossas orientações. Ele deseja viver suas histórias, suas escolhas. Por essa razão, não dá mais ouvidos aos conselhos, e quando nos escuta, é como quem ouve mais uma voz ao longe, no meio da multidão.

Vamos desanimar por isso? Vamos desistir daquele rostinho tão desejado, daquele sorriso tão almejado? Não, mil vezes não! Na cidade grande, o som dos pássaros e a beleza das árvores cederam lugar às grandes construções. Temos de ver os frutos de nosso ventre da mesma maneira. Eles não se perderão de nossos conselhos para sempre, mas, por intermédio de nossas orações, eles se transformarão em gigantes, em grandes construções estabelecidas dentro do projeto de Deus para enfrentar as adversidades da vida.

Às vezes, pode nos parecer um pouco estranho o processo da construção. No entanto, não podemos nos esquecer de que o Arquiteto da Criação é perfeito, e o que aos nossos olhos naturais hoje é imperfeito, amanhã será uma bela construção para que todos possam ver a maravilhosa obra do Criador.

Você não pode desistir no meio da construção. Se chegarmos ao terreno e nos depararmos somente com ferros, pedras, areia e cimento, achando aquilo tudo muito feio em um primeiro momento, devemos nos lembrar de que o projeto para seu filho está nas mãos do maior Arquiteto de todos, o Senhor Jesus.

Mãe, só você sabe o que planejou para seu filho — não a sua vontade, mas a vontade de Deus fluindo na vida de seu filho. Por isso, não importa o que as pessoas veem: a sua planta está nas mãos de Deus. Confie.

Isis Regina, de mãe para mãe

A fé nos faz enxergar o futuro que sonhamos no presente, pois ela é a certeza das coisas que se esperam. Não existe certeza sem o exercício de nossa fé em Deus. Use essa ferramenta para alcançar com perseverança o que necessita. Não seja refém das dúvidas aparentes, veja além... No alto está a sua vitória.

Um sonho em comum

Solange Guimarães

Nós, mães, lutamos pelo mesmo sonho: ver nossos filhos felizes, saudáveis e sábios. Mas jamais estivemos tão perdidas na árdua tarefa de educar. Formar crianças e adolescentes sociáveis, felizes, livres, empreendedores e tementes a Deus é um grande desafio nos dias de hoje. A solidão nunca foi tão intensa. Os pais escondem seus sentimentos dos filhos, os filhos escondem suas lágrimas dos pais. Pais e filhos vivem ilhados, raramente choram juntos e comentam sobre sonhos, mágoas, alegrias e frustrações comuns.

Não queremos ser heroínas, mas devemos, sim, fazer a diferença, formando em nossos filhos o caráter de Deus. Para isso, é necessário muito amor, carinho e, acima de tudo, ser um exemplo para eles com nossas atitudes. Afinal, ainda que nem sempre percebamos, nossos filhos estão constantemente olhando para nós.

Devemos ser educadoras muito acima da média se quisermos formar seres humanos inteligentes e felizes, capazes de sobreviver nesta sociedade estressante. Precisamos pedir sempre a Deus que nos ajude nessa jornada, pois educar é ter esperança no futuro, mesmo que o presente nos decepcione. É semear com sabedoria e colher com paciência.

O Senhor conta comigo, conta com vocês, para que nossos filhos sejam verdadeiros homens e mulheres de Deus.

Vamos ajudá-los a andar na presença de Deus e a construir uma sociedade melhor. E que o Senhor nos abençoe.

Se for preciso, peça perdão

Ana Claudia Brito

Há uma frase bem interessante que circula na internet: "Não volte atrás pelas coisas de seu passado. Se a Cinderela tivesse feito isso e voltasse para apanhar seu sapato, nunca teria se tornado princesa."

Concordo em parte com essa frase. Há certas coisas que, se já foram resolvidas, devem mesmo ser deixadas no passado. No entanto, há problemas que crescem com o tempo. Se não forem muito bem resolvidos, eles se transformarão num problemão. Não adianta querer fugir de um problema — o que resolve mesmo é acabar com ele.

Uma das grandes missões que temos como mães é ser bons exemplos para os nossos filhos. Mas o que acontece quando isso não foi ou não está sendo possível? A resposta é simples: uma grande oportunidade foi ou está sendo perdida. Sem a falta de um bom exemplo de nossa parte, fica difícil exigir alguma coisa de nossos filhos. Como esperar que sejam honestos se eles acreditarem que somos ou que já fomos desonestas? Não podemos exigir fidelidade se eles sabem que somos ou já fomos infiéis. Como podemos querer que eles sejam livres de vícios se nos veem ou já nos viram bebendo demasiadamente ou fumando alguma coisa?

Com os filhos não podemos dizer: "Faça o que eu digo, mas não faça o que eu faço." Às vezes, um passado errado pode se apresentar como um impedimento para se fazer o certo no presente. Mas é "hoje" que temos a oportunidade de consertar erros e abrir as portas para vermos novos horizontes. Como todas nós sabemos, a memória de um filho é incrível, e essa memória aparece principalmente no meio de uma discussão. Eles jogam nossos erros diante de nós e nos deixam sem ação.

Se o seu filho sabe de suas falhas do passado ou mesmo do presente, qual o motivo de seguir fingindo e se enganando? Nessa hora, não adianta buscar palavras bonitas ou inventar histórias. O melhor remédio é ser sincera. Se você realmente se arrependeu e está tentando ajudá-lo a não seguir o mesmo caminho que a fez sofrer, converse com eles. Talvez seja a conversa mais difícil que terá com eles, mas, sem dúvida, será a mais libertadora de todas.

Não são apenas os filhos que devem pedir perdão para os pais. Temos de entender que esse pedido algumas vezes deve partir de nós, para que eles também tenham coragem de fazê-lo no momento devido. Não se constrói uma relação entre mãe e filhos com mentiras, rancores ou mágoas. Essa relação precisa ser de muito amor, paciência e sinceridade porque nenhum dos dois lados é perfeito. E é por isso que devemos um perdão para nossos filhos: porque eles crescem achando que nunca vamos decepcioná-los, mas isso é impossível.

Não se começa uma jornada sem que seja dado o primeiro passo. Por isso, crie coragem e dê esse passo rumo à harmonia de sua família. Só você sabe o que tem escondido dentro do baú do seu coração e que ainda pode estar prejudicando seu relacionamento com eles. Livre-se desse peso.

O perdão é a tradução do arrependimento sincero. As orações que fazemos todos os dias são para abençoar os nossos filhos, mas também servem para nos fortalecer, pois, ao contrário do que muitos pensam, mães erram e precisam de coragem para reconhecer isso.

Se você se identificou com esse conselho, então lhe dou mais um: prepare uma mesa com uma decoração muito bonita, um jantar bem gostoso e uma sobremesa muito saborosa. Convide seus filhos e tenha essa conversa tão necessária. Eles vão se surpreender com a recepção e com o motivo do jantar. Ao final, entenderão a sua intenção. Lembre-se: a verdade costuma ser um remédio amargo, mas no momento certo produz seu efeito, curando qualquer mal para sempre.

Isis Regina, de mãe para mãe

De onde vem a mágoa, senão de nossos sentimentos? Mas pode uma mãe que tanto ama seu filho ficar magoada com ele? Infelizmente isso acontece com uma frequência que muitas mães nem percebem. Agem guiadas por suas emoções e sentimentos, e por isso são facilmente tomadas pela mágoa, achando se tratar de um simples resultado da raiva.

A mágoa também é uma tristeza guardada dentro de si. Existem mães que, por não saberem como se livrar dela, acabam aceitando a convivência com essa tristeza causada por um problema, uma decepção com um filho.

Deus está pronto para libertar sua vida de toda mágoa para que suas orações obtenham respostas. Para isso, você terá de fazer como a querida Ana Claudia aconselha: "Peça perdão." O perdão não é um sentimento; é uma atitude de libertação tomada pela fé. Assim como Deus nos amou e nos perdoou, dando seu único filho para nos salvar, sendo nós não merecedores, da mesma maneira também podemos, por intermédio desse poder que o próprio Deus coloca dentro de nós.

Comece pedindo perdão, um gesto que pode mudar o seu relacionamento com seus filhos e sua família. Seja livre e feliz.

A mulher do asilo

Isis Regina

Visitando um asilo periodicamente, pude conviver com muitas mães e avós esquecidas, que carregam memórias soltas na mente, como um quebra-cabeça. Algumas delas falam sozinhas, debruçadas na janela, à espera de filhos que as deixaram; outras traduzem a dor do abandono em um silêncio que faz seus olhos se encherem de lágrimas. Cada uma com sua história perdida na memória.

Em meio a tantas histórias inusitadas, conheci uma senhora sorridente e feliz que mantinha sua memória livre, com seus olhos brilhando de alegria. Logo quis saber a razão que a motivaria, mesmo diante de uma realidade tão difícil. Ela me falou de sua fé, de seu encontro com Deus, e que estava ali porque os filhos não poderiam tomar conta dela. Disse-me isso livre de todo e qualquer ressentimento. Porque sua felicidade não estava firmada nas pessoas, em bens materiais, em sua família nem em seus filhos. Ela teve um encontro com Deus, e isso lhe garantia liberdade, uma certeza que não conseguimos descrever com simples palavras.

Com alegria, aquela mulher seguia seus dias, mesmo em um asilo, e o fazia com tanta firmeza e confiança que se tornou um instrumento para levar a fé viva às companheiras daquele lugar.

Certo dia, ao retornar ao asilo, eu a procurei, e soube que seus filhos a tinham levado de volta para casa. Para muitas pessoas, permanecer em um asilo seria o fim, mas a fé daquela senhora permitiu que ela não deixasse de sonhar. Quando temos fé, temos certeza; quando temos certeza, temos confiança; quando temos confiança, temos liberdade, e nenhum problema poderá nos algemar.

Razão para viver

Solange Guimarães

Se orientarmos nossos filhos de acordo com os ensinamentos de Deus, vamos encontrar a sabedoria para ensiná-los como encontrar prazer nas coisas mais simples desta vida, muitas delas quase imperceptíveis aos olhos, como o movimento das nuvens, o bailar das borboletas, o beijo da pessoa amada, o sorriso solidário ou um abraço amigo.

A felicidade não é obra do acaso; ela é resultado de treinamento. Treine as crianças para que se tornem excelentes observadoras. Ensine-as a apreciar a natureza que Deus criou. Saia pelos campos ou pelos jardins e faça-as acompanhar o desabrochar de uma flor, o canto de um pássaro. Participe com elas da descoberta do belo, que, com frequência, não é visível.

Leve seus filhos a enxergar os momentos singelos, a força que surge nas perdas, a segurança que brota no caos, a grandeza que emana dos pequenos gestos. As montanhas são formadas por ocultos grãos de areia. Ensine-os a admirar a grandeza e o poder de Deus.

Nossas crianças certamente serão mais felizes se aprenderem a contemplar o belo nos momentos de glória e de fracassos, nas flores da primavera e nas folhas secas do inverno. O segredo da felicidade se esconde nas coisas simples e anônimas, tão distantes e, ao mesmo tempo, tão próximas de nós.

Leve seus filhos a encontrar grandes motivos para serem felizes nas pequenas coisas. Leve seus filhos a encontrar a verdadeira razão de viver. Apresente a eles o Autor e Consumador de nossa fé e da verdadeira felicidade: Jesus.

O que devemos ensinar

Solange Guimarães

Nos dias de hoje, o conhecimento se multiplicou, o número de escolas cresceu, mas, infelizmente, não estamos fazendo de nossos filhos verdadeiros pensadores. E para completar, temos os meios de comunicação, principalmente a televisão, que seduzem nossos jovens e nossas crianças com estímulos rápidos e pré-fabricados capazes de transportá-los sem que seja necessário fazer o mínimo esforço. Esses bombardeios de estímulos são nocivos porque, aos poucos e em pouco tempo, as crianças e os adolescentes vão perdendo o prazer de outros pequenos estímulos na rotina diária. E assim, vamos produzindo uma geração de insatisfeitos. Viver sem problemas é impossível. O sofrimento tem a capacidade de nos construir ou destruir, mas se vivemos sob a direção da fé, da Palavra de Deus, o sofrimento vai construir em nós a sabedoria para lidarmos com os problemas e sabermos sair deles sem sequelas. Precisamos educar nossos filhos de acordo com essa Palavra, e não segundo as sugestivas palavras deste mundo. As crianças e os jovens conhecem muito do mundo, mas estão conhecendo pouco a respeito de Deus. Eles raramente sabem pedir perdão, reconhecer seus limites, e não têm ideia do que significa se colocar no lugar dos outros. O resultado disso é uma geração de jovens que se drogam, que buscam prazeres momentâneos, que vivem estressados e são rebeldes. Crianças agitadas, inquietas, agressivas. Precisamos ensinar nossos filhos a contemplar o belo, a aprender a lidar com os fracassos, com as falhas e as decepções. Precisamos ensinar nossos filhos a pensar antes de reagir, a expor e não impor e, principalmente, ensiná-los a cuidar de sua vida espiritual. Precisamos ensinar nossos filhos a escolher a parte boa, a buscar primeiro o Reino de Deus e a sua justiça, pois, seguramente, se eles aprenderem isso, as demais coisas serão acrescentadas.

Perfeitamente restaurado

Silvana Freitas

O poder da oração de uma mãe

Temos um instinto materno, mesmo aquelas que não têm filhos biológicos. E esse dom é concedido por Deus somente a nós, mulheres.

Tive meu filho com 26 anos de idade, e no início foi fácil, pois podia contar com minha mãe e minha sogra por perto. Passados alguns meses, tivemos de nos mudar para Santa Catarina, onde aprendi de fato e de verdade a ser mãe. A primeira febre por conta dos dentinhos nascendo, os machucados, algumas preocupações comuns até que, quando meu filho completou dois anos e dez meses, foi jogar bola com um amiguinho e quebrou o fêmur.

O chão parecia ter desaparecido sob meus pés. Foram sete dias de internação e muita luta interior. Eu me apeguei a Deus de uma maneira tão forte e maravilhosa exatamente por causa de meu filho. Não aceitava ver aquele ser tão pequeno sofrendo dores horríveis que são as que sentem quem quebra um osso, principalmente da perna.

Certo dia, chegando ao hospital para ficar com meu filho durante a noite — durante o dia, minha mãe o acompanhava —, ao sair do elevador ouvi uma vozinha cantando e louvando a Deus. Eu parei e disse:

“Essa voz é do Lucas!” Quando cheguei mais perto do quarto, verifiquei que era realmente ele cantando louvores que aprendeu na igreja, com as mãozinhas levantadas e a perna quebrada, pois estava na tração por conta da fratura.

Foi uma cena tão linda — não só por ser meu filho, mas também porque o próprio Deus estava me mostrando que minhas orações tinham sido atendidas. Meu filho, com toda aquela angústia da fratura, preso à cama por conta da tração, estava cantando louvores. Em sua pureza de criança, mesmo naquele ambiente de hospital, não enxergou naquilo um problema.

Tirei uma grande lição daquela situação. Confesso que estava muito triste, revoltada, mas quando vi aquela cena, com Deus se mostrando presente, percebi que precisamos confiar mesmo diante das impossibilidades. O médico dissera que ele demoraria cerca de seis meses para andar, e que sua perna ficaria mais curta, como de fato ficou. Mas o Deus de maravilhas fez o milagre acontecer e, em apenas um mês, ele já estava correndo, pulando, brincando com as outras crianças. Hoje é um lindo garoto de dezesseis anos sem nenhuma sequela.

Já vi várias mães serem bombardeadas com notícias ruins a respeito de seus filhos, mas creram e Deus as honrou. Hoje elas dão testemunho de curas, libertações etc. Por isso digo a você, mãe, que persevere em sua oração sem cessar, sem cansar, sem desanimar, pois se Deus pode fazer um osso ser restaurado, não há limites para seu poder.

Sou uma mãe em oração, e sei que Deus vai abençoar todos os filhos. O poder da fé nos faz enxergar isso.

Quando uma mãe ora pelo filho

Isis Regina

Estava sentada logo atrás de um jovem e o observava sem que ele percebesse. Sorrisos, brincadeiras em um momento de total concentração. Logo, uma jovem senhora sentada à sua frente se voltou e chamou sua atenção com delicadeza, com o objetivo de ajudar, para que ele pudesse aproveitar aquele momento da melhor maneira possível. Depois que ela virou novamente para a frente, ele fez um comentário com o amigo que o acompanhava em meio a risos. Os dois riram juntos, achando graça onde não havia nada para rir.

Naquele momento, vi mais uma vez quão grandiosas são as misericórdias de Deus. Como o Senhor pode ter nos escolhido e pagado um preço tão alto por todos nós? Quando vi aquela cena, pensei nas inúmeras mães orando por seus filhos e suas filhas. Muitas vezes, demonstrando total desprezo aos conselhos que recebem, os filhos agem da mesma maneira. "Não *tô* nem aí!" Além de entristecer, tal desprezo chega a ser irritante.

Penso que, se a mãe daquele jovem estivesse sentada ao seu lado, ele não agiria daquele modo. No mínimo, receberia *aquele* olhar que toda mãe sabe dar, que traduz um recadinho bem especial: "Lá em casa a gente conversa..." Mas é nesse momento, quando tudo concorre para nos aborrecer, que devemos ignorar o mal e fazer o bem. De que maneira? Por exemplo, se for para falar o que não deve, cale-se.

Não desista, porém, de continuar a orar, mesmo que a situação pareça estar piorando. Resistir ao mal não é fugir do problema. Se você percebe que seu filho (ou sua filha) não está agindo com sinceridade e receia que ele (ou ela) esteja escondendo um problema maior, não finja que acredita nele(a), principalmente quando dentro de seu coração você sabe que há alguma coisa errada.

Que tal encarar o problema e afugentá-lo de sua vida? Está na hora de colocar a fé em ação e dizer, por meio de sua constante súplica e oração: "Solte a vida de meu filho em nome de Jesus! Meu filho pertence a Deus!" Partir para a batalha espiritual pela vida de seu filho é dever de toda mãe em oração, agindo com fé e crendo contra a impossibilidade e a incredulidade de muitos que chegam a achar que o seu caso não tem mais jeito.

Tudo na vida tem suas consequências, e nossos filhos precisam aprender essa verdade. Sabemos que não há filho perfeito, não há mãe perfeita, nenhum ser humano é perfeito. No entanto, por meio da fé viva nos aperfeiçoamos com o Senhor Jesus, que nos concede sabedoria para lidar com todas as situações e lutar sempre que necessário.

Sabe o que acontece quando uma mãe ora por um filho? Ela o entrega aos cuidados do Deus todo-poderoso. Ore, confie, creia. Se o lobo tentar comer o seu filho, vai morrer de fome.

Reconhecimento

Solange Gumarães

Por causa dos afazeres, da luta do dia a dia, por estarmos mergulhadas e envolvidas com nossos problemas, de vez em quando deixamos de enxergar nossos filhos. Ficamos tão concentradas em milhares de exigências da nossa vida, que acabamos nos esquecendo de prestar atenção em nossos filhos. Nós os levamos para a escola, preparamos refeições para eles, supervisionamos suas atividades, mas não paramos para ter uma conversa de verdade com eles.

A palavra "reconhecimento" significa "conhecer outra vez", ou "ver de novo". Reconhecer nossos filhos não é difícil. É simplesmente uma questão de reservar tempo para prestar atenção neles. Nossa atenção, por si, tem o poder de sustentá-los e reconfortá-los, dando segurança e estímulo para a vida.

Se dedicarmos atenção de verdade aos nossos filhos, escutando o que dizem quando nos procuram, vendo o que fazem, descobrindo o que estão sentindo, vai ser muito mais fácil avaliar suas dificuldades e seus sucessos enquanto eles aprendem como trabalhar para atingir um objetivo. Quando dedicamos mais atenção, podemos discernir qual é o momento certo para deixá-los fazer o esforço por conta própria ou de estender a mão para ajudá-los.

Essa função é nossa, e Deus não vai fazer isso por nós. Vamos prestar mais atenção aos nossos filhos, pois se eles sentem que estão sendo reconhecidos, seguramente vão aprender o quanto é bom ter um objetivo. E é nesse momento que Deus poderá fazer a parte dele.

Até as flores nascerem

Isis Regina

Gosto de flores, orquídeas brancas em especial. São as minhas preferidas. Sempre ganho de meu esposo e de minha filha porque sabem como gosto de flores. Porém, nunca soube muito bem como cuidar delas. Meu marido vem me ensinando pacientemente a fazer isso. Vejo a alegria de poder desfrutar os benefícios de toda a Criação de Deus, aquele que "realiza maravilhas que não se pode perscrutar, milagres incontáveis" (Jó 9:10).

Quando as orquídeas morriam e só sobravam gravetinhos secos, eu queria deixar à vista somente as que estavam cheias de flores. Meu esposo insistentemente me dizia que naquele graveto seco havia vida e que as flores estavam ali, prestes a nascer.

Aos poucos, comecei a olhar os gravetinhos secos como orquídeas que, no tempo certo, iriam reflorescer, e passei a deixá-las junto com as outras que estavam floridas e lindas. Todos os dias regando, regando e, de repente, uma flor se abria. No outro dia, estavam ali os gravetos secos cheio de flores, mais lindos que antes.

Sentada e observando a beleza das orquídeas, me dei conta de que muitas vezes agimos assim com as pessoas e até com nossos filhos. Quando o filho está agindo de maneira que enche a casa de honra, facilmente o exibimos. No entanto, se ele está como um gravetinho seco, sem beleza em razão de suas atitudes naquele momento, muitas vezes, sem perceber, nós o afastamos e o colocamos no cantinho.

Filhos não deixam de ser filhos nunca, seja no triunfo ou na dor. Filhos são filhos em qualquer circunstância. Se os regarmos com a fé, vendo-os com a beleza que realmente têm, eles reflorescerão sempre, e cada vez mais belos.

Mãe, ore pelo seu filho e sempre demonstre a ele o entusiasmo de quem vê a beleza em uma flor. Coloque-o em um lugar de honra e destaque, onde a beleza possa sempre ser vista e admirada. Se os galhos estão secos agora, regue-os com a fé até as flores voltarem a nascer. Nossas atitudes expressam a fé que determinamos por meio de nossas súplicas e orações.

Nunca desista de seu filho

Sandra Lages

O poder de gerar um filho é um grande presente que as mães recebem de Deus, mas não se resume a isso. Há muito mais. Dedicamos horas para cuidar dos filhos com muito carinho. Fazemos de tudo para o bem-estar desses seres tão queridos que ganham imediatamente todo o nosso amor. Não é uma tarefa fácil. Muitas vezes, protegemos exageradamente nossos filhos porque não queremos que sofram, que enfrentem nenhum tipo de necessidade. Com esse objetivo, mães saem para trabalhar horas a fio para oferecer o melhor àqueles que tanto amam.

No entanto, o que os filhos realmente querem e precisam é a presença, a atenção e o carinho da mãe, e não trocam esse benefício por nenhum bem material que possam receber. Ninguém pode dar a um filho o que só está em poder da própria mãe. Quando estão gerando, as mães também estão se formando e se capacitando para cuidar de seus filhos amados. Nenhuma outra pessoa terá essa mesma capacidade — pode até ter boa vontade e gostar muito de crianças, mas só a verdadeira mãe é capacitada de uma maneira especial para cuidar de seu filho.

Para que isso aconteça, devemos estar constantemente aos pés do Senhor Jesus em oração, pedindo a ele direção, amor, paciência e muita sabedoria, pois, às vezes, erramos de tanto querer acertar. Privamos nossos filhos de tarefas que, na verdade, eles precisariam executar para amadurecer. Muitas vezes, não permitimos que eles as realizem, pensando que os estamos protegendo, e é aí que erramos. Eles precisam crescer, precisam aprender com disciplina e regras que farão toda a diferença quando se tornarem adultos.

Vejo a grande importância do grupo Mães em Oração, pois com nossa perseverança e nossa fé podemos trazer à existência o que ainda não se tornou realidade na vida deles. Os filhos crescem e, diga-se de passagem, o tempo passa muito rápido. Ainda trazemos na memória aqueles dias em que carregávamos nossos pequenos nos braços, mas eles se tornam adultos, tomam as próprias decisões, seguem os próprios caminhos e, muitas vezes, não escolhem a melhor trilha. Mesmo que tenhamos ensinado e orientado, chega o dia em que eles decidem, e podemos nos decepcionar com essas decisões.

Mas a fé nos faz *indesistíveis* em buscar o bem, e nós, que somos Mães em Oração, temos total certeza de que, independentemente das escolhas de nossos filhos, por meio de nossas orações e do uso da fé com inteligência, qualquer situação será transformada e eles serão homens e mulheres tementes a Deus.

A frase que carrego diariamente comigo é: mães não desistem de seus filhos. E o grupo Mães em Oração existe para confirmar essa grande verdade.

Isis Regina, de mãe para mãe

É muito mais fácil desistir diante das dificuldades do que perseverar. A perseverança não é teimosia — é a postura que mantemos ao permanecermos firmes diante de nosso objetivo de maneira que nenhum obstáculo esmoreça a nossa fé. Nessa perseverança nos tornamos pacientes, fortalecemos ainda mais a nossa confiança. Já a teimosia é a insistência inflexível de uma vontade própria diante das circunstâncias da vida. Não desistir dos seus filhos, perseverando em oração firme, é a condição permanente de uma mãe que ora, que exerce a sua fé.

Diamantes brutos

Isis Regina

Há quem pense que Mães em Oração são mães que sabem tudo, que nunca erram. Quem pensa assim se engana, pois temos aprendido umas com as outras em nosso desafio diário de criar filhos, e temos aprendido também com nossos erros. Afinal, quem não falha?

Recentemente, fui vítima do "círculo cotidiano do estresse de alguém", e entrei nele quando cobrei algo de minha filha sem que houvesse um real motivo para isso, e com aquela "bronca de mãe". Quando nos permitimos fazer parte desses círculos e não vigiamos, acabamos nos tornando reféns de nossas ações impensadas.

De uns tempos para cá, a palavra "desnecessário" tem me levado a refletir muito sobre minhas atitudes. Penso que certas falas e atitudes são completamente desnecessárias. O problema é que, mesmo tendo consciência disso, nós falhamos com frequência, agindo por impulso, e não por necessidade real. Recentemente cometi esse erro com a minha filha e, quando vi, me dei conta de que tudo o que eu tinha feito era completamente desnecessário. Fiquei muito chateada. No entanto, quão maravilhoso é conhecer a imensurável graça do perdão. Prontamente pedi perdão à minha filha, mesmo sabendo que, para ela, minha atitude poderia ser vista como mais um excesso de zelo de uma mãe que a ama muito.

Quando tomamos atitudes desnecessárias com nossos filhos, há uma enorme e urgente necessidade da ação do perdão. Amamos muito os nossos filhos, mas não somos perfeitas, tampouco donas da razão pelo simples fato de sermos mães. Mesmo procurando agir com temor diante da Palavra de Deus, tendo a base da fé, somos falhas. Pode ser até que nunca venhamos a cometer erros grandes demais, mas erros são erros, e independentemente de seu tamanho, só existe uma forma de consertá-los: com o exercício do perdão. Falo de um perdão que nasce do verdadeiro arrependimento, de um coração quebrantado.

Quando cheguei em casa, minha filha amada havia comprado uns presentinhos e os colocado em meu quarto. Esse gesto carinhoso me disse: "Eu amo você, mãe." Tenho aprendido em minha caminhada de fé a me esvaziar de mim mesma, a reconhecer meus erros, a abrir mão de minhas razões em troca de manter a minha comunhão com Deus. Sei que são suas misericórdias a causa de eu estar aqui, compartilhando a fé, promovendo a salvação. É maravilhoso ser livre para pedir perdão e perdoar. Mães não são perfeitas. Elas são diamantes brutos, lapidados em oração, que se tornam brilhantes quando refletem o brilho de Deus.

Preocupações

Claudineia Bravo

Nós, mães, temos o hábito de nos preocupar com os nossos filhos. Quando ainda são bebês, nós nos preocupamos com o desenvolvimento deles. Se já são adolescentes, nós nos preocupamos se está acontecendo tudo no momento certo. Quando são jovens, nós nos preocupamos se estão escolhendo o caminho certo. E se os filhos já são adultos, nossa preocupação é com a nova família que foi formada ou está se formando.

Ainda que as fases mudem, nós nunca deixamos de nos inquietar com nossos filhos. No entanto, podemos verificar na Palavra de Deus o seguinte ensinamento: "Observem as aves do céu: não semeiam nem colhem nem armazenam em celeiros; contudo, o Pai celestial as alimenta. Não têm vocês muito mais valor do que elas? Quem de vocês, por mais que se preocupe, pode acrescentar uma hora que seja à sua vida?" (Mateus 6:26,27).

Temos, sim, de oferecer aos nossos filhos muita proteção, carinho, amor, presença, aconselhamento, disciplina; e alertá-los sobre as más companhias, os maus caminhos. Devemos procurar fazê-los viver em um ambiente de tranquilidade, segurança, compreensão, enfim, tudo o que um filho precisa, esteja ele na fase de bebê, adolescente ou adulto. Não podemos jamais esquecer ou negligenciar nosso papel de semear dentro de nossos filhos a boa semente, que é a Palavra de Deus, a qual no tempo certo dará frutos, e o próprio Deus os protegerá, assim como afirma o texto sagrado. Deixemos de nos preocupar tanto e passemos a colocar nossos filhos inteiramente nas mãos de Deus. Sigamos na fé.

Pare tudo agora

Isis Regina

A gente acorda e pensa em tantas coisas para fazer: trabalho, casa, família, filhos e, se sobrar um tempinho, então vamos cuidar das nossas necessidades. E então percebemos o cansaço — e que cansaço! Quando toda a correria do dia a dia é somada "àqueles" momentos difíceis, e principalmente quando esses momentos estão relacionados aos filhos, a carga vai ficando pesada, o cansaço vai aumentando, aumentando... E chegamos a pedir que Deus proporcione forças para continuar. Mas o que fazer quando isso acontece?

Simples: pare tudo agora e descanse nos braços de Deus. Logo suas forças serão renovadas, sua fé será revigorada e você estará pronta para vencer. Para isso, apenas aceite este convite do Senhor Jesus: "Venham a mim, todos os que estão cansados e sobrecarregados, e eu lhes darei descanso. Tomem sobre vocês o meu jugo e aprendam de mim, pois sou manso e humilde de coração, e vocês encontrarão descanso para as suas almas. Pois o meu jugo é suave e o meu fardo é leve" (Mateus 11:28-30).

Mãe, não desista. Continue crendo. Troque seu fardo pesado pelo fardo leve.

Fruto do clamor

Luciene Barbosa

O poder da oração de uma mãe

Ao engravidar, não poderia imaginar o que teria de enfrentar. Minha luta começou logo depois que soube que estava grávida. Como toda gestante, passei por vários exames. Foi quando descobri, infelizmente, que estava muito doente. Dois meses depois, fui surpreendida pelo médico ao saber que não conseguiria manter minha gravidez, e ainda corria o risco de morrer junto com o meu amado filho.

Nesse momento, comecei a orar com a força e a fé de uma mãe que crê em Deus, com o apoio de minha sogra, que também considero uma mãe. Unidas, clamamos, e, graças a Deus, meu filho nasceu e está ótimo, para a surpresa dos médicos. Hoje ele é um jovem que serve a Deus com sua fé. Desde o meu ventre ele a vivenciou e aprendeu a usá-la, pois não há impossíveis para Deus.

Seja qual for a situação que você esteja vivendo com seu filho, ore e confie. Deus nunca falha nem deixa de atender o clamor daqueles que nele depositam total confiança. Eu também posso afirmar que vale a pena ser uma mãe em oração.

Hostilidade gera hostilidade

Solange Guimarães

Não temos nenhuma dúvida de que a nossa cultura oferece muitos exemplos de hostilidade e confronto. Há sempre uma guerra acontecendo em algum lugar deste planeta. Crimes causados por dinheiro ou por ódio, agressões domésticas, disputas entre traficantes e outros problemas semelhantes estão sempre acontecendo no nosso dia a dia. Nossas crianças são expostas a imagens de luta e violência na televisão e no cinema. A hostilidade pode até mesmo existir como rotina dentro de casa entre irmãos, colegas na escola e estranhos na rua ou ao volante.

Muitas vezes as crianças ouvem os pais brigando entre si, com seus chefes ou com vizinhos. Viver em um ambiente de hostilidade faz com que as crianças se sintam vulneráveis. Algumas se tornam duras, rancorosas, sempre prontas a reagir com ímpeto. Outras passam a ter tanto medo que se fecham. Se o seu filho vive em um ambiente de agressividade constante, ele acabará aprendendo que brigar é uma necessidade, uma espécie de solução.

Não é isso que desejamos para nossos filhos. A maneira como nós, os pais, resolvemos nossas crises é que vai preparar o ambiente para nossos filhos aprenderem como lidar com os conflitos — com hostilidade e briga ou com diálogo construtivo e empenho por uma solução. Peça sempre a Deus discernimento e sabedoria para poder lidar com as situações, pois nossos filhos estão olhando e vendo nosso exemplo.

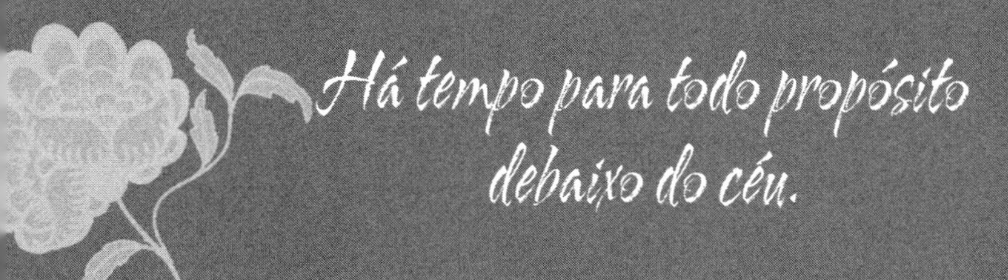

Quando quero nem sempre é quando preciso

Isis Regina

Quem não deseja orar e obter reposta de maneira imediata? Algumas vezes, a resposta vem instantaneamente, mas em geral não é assim que acontece. E existe um motivo para isso: quando quero nem sempre é quando preciso! Algumas pessoas podem ter um pouco de dificuldade para entender isso por acharem que a situação complicada que vivem está ultrapassando o limite, e já não aguentam mais. Para elas, a solução precisa chegar agora! A angústia aumenta quando você ora, ora, ora... mas parece que nada acontece. Você tem certeza de que nada realmente acontece?

Enquanto você ora, está usando a sua fé, e Deus está erguendo seus sonhos e suprindo suas necessidades reais com bases sólidas de uma maneira que somente o maior Construtor do universo poderia fazer. Nessa espera, *indesistível* diante de sua fé, você continua orando, ou seja, crendo e confiando, apesar de todas as batalhas, de tudo o que acontece para tentar impedir sua perseverança. Observe como você está mais forte, como sua fé está sendo aperfeiçoada. Você crê que em nome de Jesus terá a resposta, e isso basta.

Durante essa espera, você reflete sobre o que pode fazer, o que pode mudar, e se olhar bem direitinho, observará que já não é mais a mesma pessoa. Você está melhor em tudo. Em cada oração, em cada súplica, seu depósito de fé está aumentando, e quando concretizar o que busca, verá que é infinitamente maior e melhor do que pediu, tendo a sua casa firmada na rocha.

Algumas vezes, oramos e somos prontamente atendidas porque a resposta é necessária naquele exato momento; outras vezes, por não vermos a reposta na mesma hora, pode parecer que não estamos sendo atendidas. Grandes necessidades geram grande ansiedade, que, por sua vez, ofusca a visão da fé, não permitindo a real percepção que devemos ter como fruto de nossas orações.

Se você crê que está sendo atendida, mesmo que esteja acontecendo o contrário na convivência com seu filho, você descansa nessa esperança. Sabe que, se ainda não chegou o momento, mesmo assim, Deus fará o que você pediu.

Os pensamentos de Deus para a sua vida são muito grandiosos. É preciso manter a perseverança e a determinação, sabendo que os nossos *adversários* fazem tudo para que desistamos desse propósito de oração. Confie sua vida, suas intenções, seus pensamentos, sua família e seus filhos nas mãos de quem sabe todas as coisas. No momento certo, surgirá a resposta que você tanto busca para seu filho, e será algo tão grandioso que você nem se lembrará da espera com lágrimas derramadas nas batalhas. Elas serão substituídas pelas lágrimas de alegria e fé regando a sua vitória!

"Contudo, o SENHOR espera o momento de ser bondoso com vocês; ele ainda se levantará para mostrar-lhes compaixão. Pois o SENHOR é Deus de justiça. Como são felizes todos os que nele esperam!" (Isaías 30:18).

Deus jamais desistirá de seu filho. Confie. Ele é fiel.

O valor da prudência

Isis Regina

Uma questão para se pensar a respeito: poderia ser a falta de prudência no relacionamento com os filhos o motivo de muitos problemas? Segundo o dicionário, a palavra "prudência" significa "virtude que faz prever e procura evitar as inconveniências e os perigos; cautela, precaução". A prudência nos traz a consciência de que somos o exemplo das palavras que pronunciamos. Afinal, como é possível achar prudência em quem se permite ser refém dos sentimentos ruins, como a mágoa causada por palavras duras, a decepção, o medo, a insegurança, a ira, o nervosismo pelo estresse do dia a dia?

O que acontece é que, sem prudência, a ansiedade se faz proprietária do coração frágil, e é nesse momento que muitas mães querem fazer pelos filhos o que somente Deus pode fazer. Elas deixam de cuidar de si e desestruturam os seus relacionamentos, colocando o problema com o filho em primeiro lugar. Com o tempo, vão se desgastando e, quando percebem, estão com mais problemas além dos que já tinham.

Não adianta querer apenas que Deus conceda um filho restaurado, pois é preciso ser humilde para reconhecer que uma mãe precisa ser restaurada também. Mães erram! Muitas dedicam tanto tempo às lutas pelos seus filhos que já não conseguem mais sorrir. Até de sua aparência se descuidam. Não têm mais ânimo para nada porque estão consumidas pelos problemas.

Há algum tempo li: "O servo sábio dominará sobre o filho de conduta vergonhosa, e participará da herança como um dos irmãos" (Provérbios 17:2). E quem é o servo? "Quem me serve precisa seguir-me; e, onde estou, o meu servo também estará. Aquele que me serve, meu Pai o honrará" (João 12:26).

Que a fé e o temor estejam sempre em sua vida, de maneira que possa confiar com alegria até ver essa promessa ser cumprida.

Você é tudo de que seu filho precisa

Solange Guimarães

Tenho tomado conhecimento de que muitas crianças que têm chegado até nós são cheias de traumas, aflições, medos e inseguranças. Gostaria de deixar aqui o que Deus tem me ensinado nessa jornada de ser mãe. Você não precisa ter muito dinheiro nem muito estudo para ser uma boa mãe. O que você precisa é ter uma ligação com seu filho. E se você não tem uma ligação com seu filho, por que ele deveria se importar com o que você pensa? Se o seu filho não sente amor e aceitação, independentemente do que ele faça, não haverá relacionamento.

Seus filhos precisam saber que podem contar com você, e que, independentemente do que façam, você os ama. Você pode até não gostar do que eles fazem, mas isso não muda seu amor por eles.

Percebo que as crianças não estão vivendo uma ligação livre com os pais, e sim sob pressão. Elas são intimadas a ser submissas, recebem apelidos e xingamentos, ordens e, no dia seguinte, os pais agem como se nada tivesse acontecido. É por isso que as mães precisam analisar o próprio comportamento antes de esperar que seus filhos mudem e obedeçam. Muitas delas criam um ambiente dentro de casa que não tem nada de agradável ou divertido. Seus filhos agem como robôs, sem escolha, até que resolvem agir motivados pela rebeldia.

Penso que não seja pedir muito que você demonstre um pouco de atenção e dedicação pelo seu filho; pedir que você tenha tempo para ele.

Pare e pense comigo: você tem; trabalho, conta no banco, casa, carro, poder. As crianças não têm nada, exceto o que recebem de você e o que algum dia herdarão. Lembre-se: não depende só de Deus, depende também de você querer mudar.

Que herança você quer deixar?

Marcia Coelho

Tempos modernos. São tempos assim os que estamos vivendo. A correria do cotidiano, a dupla jornada de mãe e provedora — essa tem sido a realidade de muitas mães no desejo de deixar uma herança para os seus filhos, de querer que eles tenham tudo de melhor, que não lhes falte nada. E também é por esse motivo que muitas mães não têm conseguido ver os seus bebês crescendo e buscando a independência, como deveria ser. Elas criam filhos totalmente dependentes, inseguros, inexperientes; vários não puderam contar com a "mãe amiga" por perto nas horas em que mais precisavam. Aí está o cenário para o surgimento de um grande conflito.

Quando se tornou uma moça, a filha estava sozinha em casa. Como ela se viu diante dessa novidade? Quando o filho se apaixonou pela primeira vez, com quem ele se abriu para falar da insegurança que aquele sentimento novo produzia? É, mães, nosso papel na vida dos nossos filhos é de suma importância. Talvez até tenhamos alguma razão quando acreditamos que é preciso deixar bens materiais para garantir o futuro dos filhos, mas será que é realmente isso o mais importante?

É momento de refletir quanto ao que realmente temos de deixar como herança para a nossa prole. "Os filhos são herança do SENHOR, uma recompensa que ele dá" (Salmos 127:3).

Se cuidarmos de nossa herança, ela se perpetuará, e os nossos filhos vão usufruir dela.

Isis Regina, de mãe para mãe

Em tempos modernos, vivemos a famosa lei da compensação, segundo a qual a falta de tempo é supostamente compensada com bens materiais. É como se fosse uma troca: "Não posso levar meu filho ao parque hoje, vou atrasar, mas levo um chocolate, um brinquedo e ele fica super feliz!" Há alguma coisa errada nisso? Tudo é pensado com as melhores intenções, e por isso a lei da compensação é a que mais se vê no relacionamento com os filhos nos dias de hoje.

Ensinar requer tempo, dedicação, paciência e sacrifícios. Tem de haver renúncias pessoais para que possamos estabelecer nos filhos um referencial do que cremos, daquilo a que creditamos os verdadeiros valores. Somos exemplo. Ainda que os filhos no presente momento vivam tudo diferente do que foi ensinado, a semente do bom exemplo está lá, e com a sua fé, orando sempre, ela brotará.

Qual é a melhor herança que você pode deixar para seu filho? O que ele vai ter ou o que ele vai ser?

Para Deus tudo é possível

Gilmara da Silva Santos

O poder da oração de uma mãe

Ainda adolescente, fui ensinada a orar por minha futura família, por meu futuro marido, pelos filhos que ainda viriam. Assim, desde antes de conhecer o pai de meu filho, eu já orava por ele. Meu filho nasceu no dia 24 de outubro de 1994, quatro anos após o meu casamento. Foi o momento mais marcante da minha vida. Nunca vou me esquecer de seu chorinho ao nascer. Que felicidade! Ter um filho para mim foi um belíssimo presente de Deus.

Criei meu filho nessa fé e nesse temor, e sempre mantive a fidelidade de orar por ele. Até que, aos onze anos, aquele menino tão saudável começou a se queixar de dores na perna, depois na boca. Essas dores foram se espalhando pelo corpo todo; além disso, ele sofria com febre constante. O médico aconselhou que ele fosse internado para investigar o motivo desses sintomas, até que veio o diagnóstico: linfoma de Burkett — um tipo de câncer no sangue.

Nem em meus piores pesadelos imaginei receber uma notícia como essa. Mas uma coisa é certa: em nenhum momento duvidei de Deus ou o questionei. Eu sabia que as minhas orações desde antes de meu filho nascer não foram em vão. Eu tinha fé de que Deus o tiraria daquela situação. Eu já orava por isso, e depois que veio o terrível diagnóstico passei a orar ainda mais, com mais fé e determinação. Sabia que Deus poderia levar o meu filho a hora que quisesse, mas eu não aceitava de forma alguma que fosse doente e sofrendo daquela maneira. O câncer aumentava diariamente.

Ele deu entrada no hospital para investigar a febre e as dores, mas as crises eram cada vez piores. Certo dia, ele teve uma crise de dor tão terrível que até a enfermeira chorou conosco. Ele gritava desesperadamente. Em uma semana, parou de comer, e tudo o que tentava engolir vomitava. Parou de urinar, começou a inchar, deixou de raciocinar, teve de usar fraldas e foi para a Unidade de Tratamento Intensivo.

Foi realizada uma tomografia, e constatou-se que o câncer estava em quase todo o corpo. Assim que veio o diagnóstico, comecei a clamar, a determinar a cura, e Deus nos ouviu. O tratamento que, segundo os médicos, seria de um a dois anos, terminou em cinco meses. A cura foi constatada já no segundo mês, quando foi realizada outra tomografia.

Hoje ele está com dezessete anos, tem uma saúde normal, sem nenhuma sequela. Está cursando a faculdade de Engenharia Civil, é um rapaz que serve a Deus com sua fé. Sua vida glorifica o nome do nosso Deus. Ele conta seu testemunho para outros jovens, e toda essa luta o fez ver que, para quem venceu um câncer, nada mais é impossível.

Ele é um jovem muito determinado — quando quer algo, coloca Deus na frente e parte para vencer, seja lá o que for. Continuo orando por meu filho, e tenho certeza de que o meu Deus cuida e cuidará dele todos os dias.

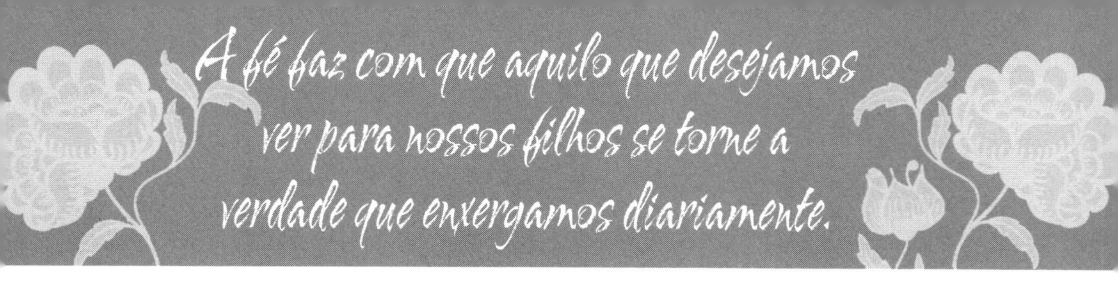

A grande mentira

Isis Regina

Está acontecendo tudo ao contrário depois que você começou a orar e a colocar sua fé em ação? Quem sabe chegou a pensar que estava melhorando e, sem menos esperar, recebeu um telefonema com uma notícia ruim? Quando oramos, enfrentamos o mal que tenta destruir a vida de nossos filhos. A tática desse mal é fazer a dúvida entrar, porque se isso acontece, a vitória se vai.

Mãe, não estranhe se tudo isso está acontecendo com você. Saiba que está no caminho certo, pois sua vitória está chegando. É preciso, porém, resistir aos ataques contra a sua fé. Como? Ignore o mal! Mostre onde está sua fé, em quem você tem crido. Quanto mais afrontas, mais notícias ruins, mais você deve declarar sua vitória.

Tudo o que vê contrário a sua fé é uma grande mentira! A verdade é que Deus já realizou a obra dele na vida de seu filho. Pode até demorar um pouco mais, porém é certo que você verá a vitória, se não duvidar. Se crer, aí *já era* para o mal. O mal vai se dar mal — em nome de Jesus!

A fé traz a certeza, e com ela há paz, mesmo em meio às batalhas. Mães, "apeguemo-nos com firmeza à esperança que professamos, pois aquele que prometeu é fiel" (Hebreus 10:23).

Declare agora mesmo a sua vitória, mãe. Deus está com você.

Defeitos e virtudes

Ana Claudia Brito

Certamente todas nós temos muitos defeitos que, felizmente, com o passar dos anos, são eliminados ou, para tristeza de quem nos acompanha, vão piorando. Supõe-se que toda mulher, quando se torna mãe, no exato momento da concepção, já se transforma. Algo se passa em seu corpo, em sua mente, em seu caráter que a faz diferente. Essa *sementinha* dentro dela vai demorar meses para crescer, mas esse é exatamente o período necessário para que ela viva essa metamorfose.

Sem nos importarmos muito com o que vai ocorrer em nosso corpo, nos doamos em um sacrifício de amor, hospedando o filho que jamais esqueceremos, que terá um vinculo único e eterno conosco, que poderá vir com características diferentes das nossas em seu exterior, mas que levará sempre o nosso DNA em todo o seu ser. Para esse filho não haverá lugar mais seguro para viver neste mundo que o nosso útero.

No parto, nascem junto com o bebê alguns dons que para nós, mães, serão úteis por toda a vida. No entanto, se usados de forma errada, eles nos farão chorar de tristeza. Adquirimos o dom de amar a ponto de esquecer as coisas erradas que o filho faz; mas não devemos deixar de corrigir os erros, mesmo os menores, pois o tempo passa e o defeito cresce, tornando-nos culpadas por nossa negligência se não corrigirmos e ensinarmos devidamente.

Todo filho e toda filha, para sobreviver neste mundo, tem de passar por fases que serão determinantes em sua vida — aprender a andar de bicicleta, por exemplo. Fatalmente haverá um tombo e vai doer muito, mas a mãe sempre estará lá, dando o seu suporte, o seu sorriso de conforto, ainda que por dentro a pena lhe corte a alma. O problema é que outras provas virão, e se a mãe não souber administrar isso, criará um filho dependente dela.

A verdade é que ser mãe é muito mais que trazer um filho ao mundo. A responsabilidade que recai sobre nós é enorme. Nossa missão é cheia de caminhos que podem nos levar ao lugar certo ou errado. Sendo assim, quem é o nosso guia? O nosso GPS? É o nosso coração? O nosso instinto maternal? Seriam os conselhos?

Não. O nosso guia é Deus! Mas temos de escolher a direção a seguir, pois ele nos dá o livre-arbítrio. Por isso a oração é importante, porque ela atua como um remédio de prevenção contra as más escolhas, os maus conselhos e as más decisões que nos rodeiam cotidianamente. Uma mãe que quer vencer a si mesma é aquela que atua mais com a razão que com a emoção.

Ao nos unirmos nesse propósito de orar por nossos filhos, acabamos com problemas que deixamos para trás e cuja solução não encontramos e, por isso, hoje nos cobram a fatura. Consertamos pontes que, por estarem caídas, nos impediam de ter uma melhor comunicação com nossos filhos. A oração é o humilde reconhecimento de que precisamos da ajuda divina.

Por isso, não importa que tipo de mãe somos, ou o que fizemos de errado — o importante é que hoje tudo pode mudar.

Que Deus nos abençoe nessa jornada que realmente só termina quando se chega no fim.

Oração, um projeto divino em construção

Isis Regina

Quando nos propomos a fazer algo por intermédio de nossa fé, é certo que lutas e batalhas surgirão, muitas vezes em proporções gigantescas, com o fim de neutralizar a nossa fé. Muitas mães acabam desistindo de orar porque, vendo as afrontas, se sentem intimidadas pelo mal e se desviam do propósito. Na verdade, todos os problemas e todas as injúrias que surgem para tentar desestimular sua fé são como o gigante Golias: parecem monstruosos, mas com apenas uma pedrinha arremessada com fé, eles caem por terra.

Quando enfrentamos um problema com nossos filhos, todas nós queremos ser atendidas prontamente. Mas se isso não acontece no mesmo instante, muitas perdem a fé; outras consideram o silêncio como um "não" de Deus e acabam duvidando, abrindo a porta de seu coração para a entrada da dúvida, adversária da fé. O silêncio pode parecer um "nada" ou um "não", mas para quem realmente tem fé, significa que "para tudo há uma ocasião certa; há um tempo certo para cada propósito debaixo do céu" (Eclesiastes 3:1).

A fé nos leva aos pastos verdejantes, às águas tranquilas, e quando a dúvida tentar impedir a paz, devemos lembrar que o aparente "nada", o "silêncio" do presente momento se transformará na vitória pela qual todos verão que Deus é Deus! Ele está trabalhando a todo instante a nosso favor enquanto mantemos uma fé viva. Quando cremos, o tempo para a resposta pode até parecer demorado, mas há certeza de que no momento certo a resposta chegará, e por isso se espera em paz.

Mãe, não deixe de orar e, sobretudo, não deixe de crer. "Duvide da dúvida." A cada oração, um tijolo é colocado nessa nova construção que está sendo erguida na vida de seu filho. Saiba que, enquanto uma mãe ora por um filho, Deus constrói seu projeto nele.

Com o passar dos anos

Isis Regina

Quando um filho nasce, ele precisa dos braços da mãe a todo instante. Quando um filho começa a andar, precisa do atento olhar materno para não tropeçar. Quando um filho começa a estudar, precisa do paciente reforço da mãe para cumprir a tarefa escolar. Quando um filho começa a emitir sua opinião, precisa da gigantesca compreensão que só a mãe sabe oferecer. Quando um filho já se acha dono da própria razão, precisa de seus perseverantes joelhos no chão.

Com o passar dos anos, uma mãe pode envelhecer, mas os filhos sempre serão crianças aos seus olhos. Amor de mãe se renova a cada amanhecer. Rompe as barreiras por intermédio da fé e da oração, levando o filho ao mais alto lugar aonde pode chegar: os braços de Deus!

"Todos os seus filhos serão ensinados pelo Senhor, e grande será a paz de suas crianças" (Isaías 54:13).

Em tempo bom, ore; em tempo difícil, clame.

Ana Claudia Brito

Quanto vale uma oração? Não dá para dizer, não é? Ela não tem preço. Por não ter um valor monetário, às vezes não lhe damos a devida importância, o que nos leva a quase desprezá-la. E o que falar, então, acerca do clamor? Você sabe o que é um clamor?

O clamor é a angústia em forma de palavra. É o desespero traduzido em som. Quando clama, uma pessoa não consegue falar palavras bonitas. O que ela quer é se livrar da dor e da aflição que naquele momento a sufocam. Por isso é muito mais fácil orar. O ato de orar, ainda que seja uma oração decorada, aprendemos desde crianças. Já o clamor — esse se aprende sozinha e na dor.

Não é por acaso que a primeira parte do título deste texto é: "Em tempo bom, ore." Se o seu filho está bem, se não lhe dá trabalho, não cruze seus braços, pois é justamente nessa hora que o mal o alcança. Se você está vivendo um período de calmaria em sua vida, dê graças a Deus e siga orando para que seus filhos continuem firmes. Só cai em uma armadilha quem não está atento.

Por outro lado, a segunda parte do título é: "Em tempo difícil, clame." Porque, se o que você está vivendo é um período de profunda dor e desespero, aproveite a oportunidade e descubra o valor do clamor. O clamor é a intercessão que Deus responde mais rapidamente porque ele sabe que o seu tempo está se esgotando.

O clamor faz com que as promessas já esquecidas se cumpram. É por isso que, ainda que seu filho seja um viciado, um delinquente ou mesmo um enfermo à beira da morte, lembre-se de que o seu clamor fará com que as coisas mudem. Se Deus prometeu a você um filho sem vícios, honrado e saudável, não duvide disso.

Para que ore ou clame, a mãe precisa ter fé. Deus é invisível, por isso ele não responde às nossas orações com uma voz audível. No entanto, um exemplo muito simples de sua existência é o vento. Ninguém vê o vento, mas percebe o seu agir. Ninguém vê Deus, mas a paz que ele nos proporciona deixa claro que a nossa fé não é uma fantasia.

Não importa em que fase estamos, se de calmaria ou de aflição; o que importa é que não podemos nos esquecer deste conselho valioso: Mãe, em tempo bom, ore; em tempo difícil, clame.

"Até os chacais oferecem o peito..."

Isis Regina

"Até os chacais oferecem o peito para amamentar os seus filhotes, mas o meu povo não tem mais coração; é como as avestruzes do deserto. De tanta sede, a língua dos bebês gruda no céu da boca; as crianças imploram pelo pão, mas ninguém as atende" (Lamentações 4:3-4).

Ser mãe é muito mais que gerar. É cuidar, criar. É estar perto, somar, orientar, mas não sufocar. É achar tempo para acompanhar. É fazer de um momento simples uma lembrança inesquecível. É adoçar a vida com receitinhas caseiras que se apegam ao paladar durante uma vida inteira. É saber dar e também o momento certo de retirar. É perdoar sempre. É enxergar com a fé, no presente, o que se deseja ver no futuro. É vencer o cansaço diário. É estar sempre pronta para se sacrificar. Ser mãe é amar.

Queridas mães, amemos os nossos filhos; mas, sobretudo, o nosso Deus, fonte da força e do sustento para vencermos. Sejamos geradoras de bênçãos. Ore sempre e esteja sempre perto. Um filho precisa saber disso todos os dias.

Mãe, senta aqui, please!

Isis Regina

Um dia desses, eu estava muito, muito cansada, e minha filha estava assistindo ao desenho animado *Madagascar*. Foi quando ela me pediu: "Mãe, senta aqui... *please*! Veja esse desenho comigo!"

Eu me sentei, ou melhor, quase desmaiei de cansaço. Entre um pestanejar e outro, pude ouvir as gargalhadas de minha filha, que ria muito, cuidando para eu não dormir a fim de que assistisse ao desenho com ela até o fim.

Nós estamos sempre juntas, mas momentos de exclusiva atenção fazem bem aos filhos e a nós também. Somos mães em tempo integral. Onde quer que esteja, fazendo o que for, uma mãe sempre está se lembrando de seus filhos. Mas, às vezes, corremos tanto que nem nos damos conta de que, mesmo grandinhos, eles querem um simples carinho, como o de ver um filme, um desenho (mesmo que repetido) juntinhos. E isso vale muito.

Lembro quando minha mãe parava tudo para ver o que eu escrevia. Primeiro, queria ler para ela. Quando acabava de compor uma canção, queria que ela ouvisse. Ela sabiamente sempre reservava tempo para as nossas necessidades como filhos, nem que fosse apenas para nos ouvir.

Muitas vezes, os nossos filhos querem apenas um tempinho de total atenção para eles e nada mais. Com gestos simples, você constrói por sua fé os alicerces que se erguem pela sua oração por eles. Quando uma mãe dedica um tempo especial para um filho, ela oferece tempo para Deus trabalhar a seu favor e não permite que o mal tenha tempo para ocupar lugar ao lado de seu filho.

Ainda que tudo lhe pareça contrário, tenha a certeza de que todas as ações de amor e fé derramadas sobre seu filho florescerão e darão muitos frutos. Amiga, não se culpe pelos problemas que seu filho está enfrentando — mesmo que a culpe, ele não sabe o que diz. Deus sabe que você é uma boa mãe, e o diabo estremece quando usa a sua fé, por isso esse mal não prevalecerá na vida de seu filho, em nome de Jesus.

Invista nas oportunidades, por menores e mais simples que lhe pareçam. Rompa as contrariedades que tentam colocá-la *pra baixo*. Deixe que seu filho veja Deus através de você, nem que isso lhe custe dois palitinhos nos olhos.

Eles precisam de nosso tempo

Sandra Lages

Algo que tenho observado quando vejo a maneira como muitas mães tratam seus filhos é que elas falam e agem com eles como se fossem adultos. Crianças de quatro a seis anos carregam fardos pesados, muitas vezes impostos inconscientemente pelas próprias mães, que tratam de assuntos familiares e de toda sorte de problemas na frente deles. Muitos filhos assistem às brigas de seus pais. As crianças são como uma esponja — absorvem tudo!

Por isso, muitas delas são tristes ou se sentem deprimidas porque vivem em ambientes cheios de problemas, agressões e preocupações. Muitos são filhos de pais separados, crianças que crescem sem a total presença dos pais em sua infância. Crianças que passam seus dias sem entretenimento, sem a diversão tão necessária para o bom desenvolvimento desses pequenos. É de extrema importância oferecer-lhes momentos de prazer, de felicidade, que contribuam para isso.

Entendo perfeitamente que muitas mães que não contam com a presença do pai enfrentem problemas financeiros. Elas precisam assumir muitos gastos sozinhas, fazem o papel de mãe e pai e muitas vezes não podem proporcionar a seus filhos momentos de entretenimento. No entanto, temos várias opções que não incluem gastos, como ir a um parque público onde os filhos possam brincar no balanço, no escorregador, correr livremente pela grama, jogar bola, brincar na areia ou fazer um piquenique, passando uma tarde agradável num fim de semana, levando alimentos e brinquedos que já tenham em casa.

Na verdade, são muitas as opções, e creio que é de fundamental importância compartilhar com as crianças esses momentos especiais, pois a infância passa muito rápido. É uma fase da vida, como todas as outras, que não volta mais, e isso faz com que muitos pais se arrependam mais tarde por não terem dedicado um pouco mais de tempo aos seus pequenos. O tempo não volta. O que você tem de fazer deve ser feito já.

O corre-corre cotidiano, o trabalho e as tarefas domésticas estão presentes na vida de todas nós, mas nada pode ser mais importante que o desenvolvimento saudável dos nossos filhos. Eles precisam ter contato com a natureza, apreciar o céu, as flores, os pássaros, conviver com outras crianças de sua idade etc.

O outro lado da moeda é que muitas mães, por não "terem tempo", permitem que seus filhos passem horas diante da televisão ou do computador, jogando videogames. As crianças crescem confinadas no quarto, sem contato com ninguém e nada mais que imagens virtuais. Geralmente são jogos com cenas de violência, brigas, guerras, armas de fogo, batidas de carro. As mães, para não serem *incomodadas,* estão permitindo que esses jogos ou que os programas de televisão formem, de certa maneira, o caráter de seus filhos. Isso é um grande perigo!

Vale a pena investir em nosso pequenos, mesmo com poucos recursos, pois amanhã seremos recompensadas por ver que nossos filhos se tornaram homens e mulheres de bem, honestos, responsáveis. Nada é mais gratificante que isso para nós, mães. Pensem e se lembrem: mães não desistem de seus filhos.

Desculpas para os fracassos

Isis Regina

Tudo pode ser uma desculpa para não realizar, não conquistar, não permanecer, não vencer, não perdoar, não amar, não aproximar, não estar, não ser, não somar, não multiplicar, não compartilhar. As desculpas são muitas vezes usadas como *almofadas* que proporcionam certa acomodação enganosa em relação às muitas situações na vida. Mas o fato é que, quando queremos, podemos realizar, conquistar, permanecer, vencer, perdoar, amar, aproximar, estar, ser, somar, multiplicar, compartilhar.

Para isso é necessário o sacrifício em que há de se renunciar a vontades pessoais. A recompensa é mais que certa. A vitória é a consequência não dos que usam as desculpas para os fracassos, mas dos que avançam sempre em frente pela fé até alcançar o alvo.

Mãe, não se acomode com desculpas diante de seu problema. Diga: "Tudo posso naquele que me fortalece" (Filipenses 4:13). Vá em frente. Dificuldades não são desculpas para impedir sua vitória porque tudo é possível ao que crê. Determine para o seu filho o que deseja ver, e vai acontecer. Ore, confie e creia!

Qual é o seu problema, mãe?

Fátima Mendes

"Assim diz o SENHOR, aquele que designou o sol para brilhar de dia, que decretou que a lua e as estrelas brilhem de noite, que agita o mar para que as suas ondas rujam; o seu nome é o SENHOR dos Exércitos" (Jeremias 31:35).

Quando olhamos para a grandeza de Deus, é lógica a análise de que, se ele estabeleceu as leis fixas na natureza, como não será infinitamente maior que qualquer problema? Qual é o seu problema, mãe? Por maior que pareça ser, não é maior que Deus. Depende de você! Assim que a grandeza de Deus for revelada a você, então também terá condições de mostrar essa grandeza aos seus filhos. Da mesma forma que Deus não pode invalidar essa aliança referente às leis fixas na natureza, também não poderá voltar atrás para aquele que crê na grandeza dele.

"'Somente se esses decretos desaparecerem de diante de mim', declara o SENHOR, 'deixarão os descendentes de Israel de ser uma nação diante de mim para sempre" (Jeremias 31:36).

Veja quanto tempo Israel ficou exilado. Mas por causa da promessa de Deus, Israel voltou a ser nação em 1948. Quer mais provas contundentes? Deus não se esqueceu dessa promessa feita na época de Jeremias.

Mãe, se você tem essa grandeza de Deus dentro de você, poderá salvar seu filho! Tome posse primeiro da maior grandeza, que é ter o Espírito do Deus vivo em sua vida, e você se agigantará diante de todos os problemas.

Isis Regina, de mãe para mãe

O que é qualquer problema comparado à grandeza de Deus? Não pense no tamanho de seus problemas; pense na grandeza de Deus, lute e persevere; certamente alcançará a vitória.

O Deus que responde

Fátima Mendes

O poder da oração de uma mãe

Sei que não há nada mais doloroso que você não conseguir ajudar a pessoa que mais ama, não é verdade? Assim somos nós, mães, quando vemos nossos filhos enveredando por um caminho que sabemos estar cheio de espinhos, e o que é pior, de escorpiões e víboras. Infelizmente, pouco ou quase nada se pode fazer, humanamente falando. Orei e fui agraciada com minha filha, o meu *baby*, hoje uma mulher casada e completamente feliz, mas que no início de sua adolescência, com seu comportamento diferente, fez tudo parecer fugir do controle, como se escorregasse pelos dedos.

Essa é a sensação de uma mãe que ama muito seus filhos. Nesse momento difícil da vida de minha filha, a oração mais intensa e fervorosa, certa da resposta, chegava ao trono de Deus em favor dela. Quando nos aplicamos a orar, é diferente. A oração realmente faz milagres, e gostaria que você acompanhasse o relato de minha filha como resposta a uma mãe que não desistiu de orar, mesmo não sabendo o que se passava exatamente e não conseguindo ajudá-la com palavras e gestos. Pela oração, confiando minha filha a Deus, pude conquistar a vitória. Este é o relato de minha filha, Sarah Mendes:

"Quando eu tinha de dez para onze anos, fomos para Israel. Os meus problemas começaram mesmo quanto eu tinha doze anos. A minha cabeça, aparentemente, estava no temor a Deus que aprendi por intermédio de meus pais; até ia à igreja. Mas, na verdade, eu desejava conhecer o mundo, queria saber como era ficar com rapazes, até tinha curiosidade por drogas e álcool.

De noite, comecei a ter medo e, pela falta de amigos, sentia-me sozinha. Às vezes, eu me trancava no quarto e chorava sem motivo, sem que ninguém soubesse. Todo tipo de pensamentos sujos começaram a surgir em minha mente, e quando os meus pais e o meu irmão iam dormir, ligava a televisão e via todo o tipo de porcarias que podia (tinha muita curiosidade sobre tudo e sobre todos).

Comecei a me tornar rebelde. Quando era mais jovem, obedecia sempre aos meus pais. Com o tempo, comecei a sentir raiva de fazer o que eles mandavam. Tinha, supostamente, respeito por eles; quando falavam comigo, eu dizia que sim; mas por trás, reclamava e xingava. Ver porcarias na televisão tornou-se algo constante, mas quando ia dormir, sentia-me pesada porque sabia que estava agindo erradamente. Sentia-me acusada, e assim continuou por vários meses: pequenas mentiras, desobediência, escondia coisas de meus pais, comecei a guardar mágoa no coração contra pessoas que tinham ficado no Brasil. Até por pequenas coisas eu guardava ódio no coração. Nunca contei nada a ninguém. Afinal, o que pensariam de mim?

Certa noite, não conseguia dormir bem. Sentia-me pesada e triste. Era uma angústia tão grande, mas tão grande que me doía o coração. Os pensamentos estavam a mil — que Deus não me iria perdoar, que eu estava perturbada. Decidi ir ao quarto dos meus pais pedir oração, mas o meu orgulho foi maior; não queria que ninguém soubesse que eu não estava bem com Deus. Assim, fiquei vagueando pela casa até que pedi a ajuda de Deus e a angústia se foi. Mas, a partir daquele dia, comecei a pensar: "Como pode ser? Eu minto, sou rebelde, tenho maus pensamentos, na outra noite não consegui dormir bem. Isso quer dizer que eu preciso de Deus! Estou podre por dentro, tenho de mudar."

Comecei a praticar tudo o que eu já sabia. Pedi perdão a Deus, mas ainda me sentia pesada, algo me acusava. Tive de falar com minha mãe, passar por cima do orgulho que tinha e do medo sobre o que ela pensaria de mim. Não foi fácil, mas falei com ela. Fiz, então, uma lista de todas as pessoas que eu odiava. Liguei para cada uma e pedi perdão. Comecei a me esforçar para obedecer. Falando com minha mãe, contei como eu estava suja, as coisas que pensava e fazia. Logo depois, no meu quarto, clamei a Deus e foi ali mesmo que tive um encontro com ele!

Que alegria! Comecei a sentir amor pelas pessoas. Já não me importava o que pensariam de mim. Finalmente, estava livre. Eu não tinha de agradar aos demais para me sentir bem. *Todos* necessitam de um encontro com Deus. A minha mãe não só orou por mim, mas também me mostrou a fé com suas atitudes, compreensão e amor.

Hoje em dia, quando os filhos querem desabafar ou buscar ajuda, os pais são os últimos a quem eles buscam, justamente por causa do medo de serem julgados ou mal-entendidos. Na minha mãe encontrei fé, compreensão e amor porque ela era e sempre será uma mulher de oração."

É por isso que eu digo que Deus é maravilhoso, e que eu fui, sou e sempre serei uma mãe em oração.

Ir de carona ou ter o próprio carro?

Isis Regina

O que é melhor? Ir de carona a algum lugar ou ter o próprio carro? Acredite, mesmo diante dos muitos benefícios de se ter o próprio carro, há quem se conforme com as caronas. Um dia aqui, outro ali... e vai levando a vida. Afinal, não tem nada de trágico, e qual é o problema nisso? Bem, muitas pessoas esperam as "oportunidades" acontecerem para obter o que desejam. E nessa espera, vão esperando, esperando... e a oportunidade nunca surge. Ela não chega, o tempo continua passando e essas pessoas só ficam se lastimando.

No meu ponto de vista, oportunidade é questão de fé. Fé colocada em prática, fé que age. Quando tudo chega ao seu limite, quando parece não haver mais saída, Deus é a resposta, é a solução. Muita gente fica esperando inspirar-se em outras pessoas, aproveitar-se de situações para chegarem ao seu objetivo. Nada contra, sei que em tudo Deus pode trabalhar a favor dos que nele depositam a confiança plena. No entanto, aqueles que realmente creem não se desesperam — apenas creem e confiam. Ainda que nada pareça estar acontecendo, há uma certeza que proporciona paz.

A verdadeira fé não anda do lado do carona; ela conduz a vida de quem a usa. Caso contrário, essa fé é como as pessoas que possuem carro, mas não dirigem: ficam eternamente na dependência de outras pessoas.

Querida mãe, use a sua fé e não aceite ir de *carona*. Deixe que a fé conduza sua vida e a leve ao lugar da realização dos sonhos. Deus sempre trabalha em favor dos que nele confiam. Creia, você tem o seu *carro*, que é a sua fé — por que andar como *carona*? "O temor do SENHOR conduz à vida: quem o teme pode descansar em paz, livre de problemas" (Provérbios 19:23).

Abençoe seu filho todos os dias por intermédio de sua fé e vença em nome de Jesus!

Ultrapassou o seu limite?

Isis Regina

Há determinadas situações difíceis em que é comum se chatear, entristecer ou mesmo achar que o problema é maior do que nossas forças. Muitas pessoas vão vivendo assim, levando a vida na tentativa constante de se conformar com essas situações, até que chega um momento no qual o problema, a situação que está vivendo ultrapassa o limite. Para muitos, isso pode parecer o fim da linha. "Não aguento mais. Eu desisto!", dizem. Para outros, porém, ultrapassar o limite pode ser a oportunidade de *dar uma virada*.

Segundo a lei de Isaac Newton, cientista e físico inglês, para toda ação há sempre uma reação oposta e de igual intensidade. Nesse exato momento, nasce uma revolta contra os problemas, contra o mal que aflige, e aí é necessária uma reação de fé oposta ao mal e de igual intensidade. Como você agiria se um cachorro tentasse atacar seu filho? Tentaria expulsá-lo, dizendo "Saia daí", com mansidão? Ou partiria para cima do cachorro com tudo, a fim de livrar seu filho?

Embora, como mães, seja difícil suportar a dor causada por um problema ligado aos filhos devido à imensidão do amor que possuímos, sabemos que ficar chorando diante do problema, desesperadas, não resolverá absolutamente nada, ainda mais diante de uma situação extrema. É preciso lutar e ser mais forte que o mal que tenta destruir sua vida, a vida de seus filhos, o seu lar. Se o problema que enfrenta hoje com seu filho ou sua filha "ultrapassou o limite", esse é o momento de usar a sua fé e se revoltar, orando como uma guerreira, crendo que em Deus há sempre vitórias em nome de Jesus.

Mãe é capaz de tudo para ajudar um filho. Ultrapassou o seu limite? Revolte-se, lute como uma guerreira e vença em nome de Jesus!

Deus, dá-me paciência...

Claudia da Silva

Muitas vezes pensamos que falar o tempo todo o que queremos que nossos filhos façam será a solução para tudo o que desejamos. Mas não é bem assim que acontece. Às vezes, o filho diz: "Eu sei mãe." Ou: "Você já me falou isso." E então nos perguntamos a razão pela qual não fizeram o que falamos, o motivo de ainda não terem mudado, mesmo diante de tantas orientações.

Imagine se Deus fosse assim conosco, sem nenhuma paciência com nossos erros e imaturidades. Em seu infinito amor e misericórdia, Deus tem tido toda a paciência com você e comigo. Mas será que também temos essa mesma paciência com os nossos filhos? Devemos falar com eles, ensiná-los, mas sem exageros, pois muitas vezes o testemunho ou uma atitude diferente vale bem mais que muitas palavras.

Convido você a orar e verá que, falando com a pessoa certa, que é Deus, nossos filhos serão muito melhores do que pensamos e desejamos. Vamos buscar a paciência, que muitas vezes nos tem faltado, e a confiança por meio do agir da fé. Confie, mãe: Deus vai mudar esta situação.

Isis Regina, de mãe para mãe

Qual é a mãe que não tem muitas tarefas? Nós, mulheres, desempenhamos tantas funções e responsabilidades. Tudo isso torna muito comum o cansaço devido ao acúmulo de atividades, e esse cansaço torna-se muitas vezes o grande responsável pela falta de paciência.

Serenidade, mansidão e paciência são palavras extintas de seu dicionário? "Coloquei toda minha esperança no SENHOR; ele se inclinou para mim e ouviu o meu grito de socorro" (Salmos 40:1).

Saiba que a paciência é também uma ferramenta muito importante para estabelecer uma relação amigável com seu filho e com todos ao seu redor.

Sua fé a salvará

Isis Regina

Quando nos unimos em oração, formamos uma grande corrente de fé, certas de que o Senhor Jesus prontamente atenderá ao nosso clamor. No entanto, sabemos que a fé é individual. Não adianta crer no clamor de alguém e ter dúvidas em relação a sua fé. Ela é a conexão entre nós e o poder de Deus. Como ele poderá agir em sua vida se essa conexão é falha? Muitas vezes, quando atravessamos momentos difíceis, a fé pode parecer um grão de mostarda diante dos problemas, mas mesmo pequenina, ela é plenamente suficiente para transportar os montes. Isso, é claro, se nela não há dúvidas, se está livre de sentimentos de oposição.

Fortalecemos a nossa fé por intermédio da Palavra de Deus, e nela sustentamos a nossa confiança. Quando conhecemos o Deus vivo, não existem dúvidas, e sim, certeza total.

A Palavra de Deus nos relata a história de uma mulher que sofria com um fluxo hemorrágico por doze anos. Imagine o que é isso: uma hemorragia por doze anos! Essa mulher era muito debilitada, fraca. Tinha gastado todo o seu dinheiro tentando ser curada pelos médicos, mas não obteve a solução.

Ao ouvir que Jesus estaria passando em sua cidade, creu que, se ao menos conseguisse tocar a bainha das vestes do Salvador, ela seria curada. Sabia que, para isso, teria de fazer um sacrifício, pois por causa dos sinais e das maravilhas que Jesus operava, uma multidão o seguia com o objetivo de alcançar milagres. No entanto, aquela mulher creu e enfrentou a multidão, mesmo muito fraca, até que conseguiu o que determinara ao exercer sua fé.

No mesmo instante, Jesus percebeu que dele havia saído poder, virou-se para a multidão e perguntou: "Quem tocou em meu manto?" Responderam os seus discípulos: "Vês a multidão aglomerada ao teu redor e ainda perguntas: 'Quem tocou em mim?'" Mas Jesus continuou olhando ao seu redor para ver quem tinha feito aquilo. Então a mulher, sabendo o que lhe tinha acontecido, aproximou-se, prostrou-se aos seus pés e, tremendo de medo, contou-lhe toda a verdade. Então ele lhe disse: "Filha, a sua fé a curou! Vá em paz e fique livre do seu sofrimento" (Marcos 5:30-34).

Embora aquela mulher estivesse no meio de uma multidão na qual muitos tinham fé, foi a sua fé pessoal que a salvou, pois ela creu e não duvidou. Nós oramos por você, com você, mas saiba que é mediante a sua fé que a resposta acontece. Por isso, não duvide jamais. Apenas creia, mesmo que, por vezes, pareça demorado, assim como foi com a vida daquela mulher que buscou a cura por doze anos, mas não desistiu de lutar até que um dia ouviu falar do Senhor Jesus e, crendo, foi libertada de todo o mal que a afligia.

Mãe, creia. A sua fé a salvará!

O seu agir é que determina
o que deseja ser.

Vítima ou vencedora?

Isis Regina

Muitas pessoas acham que vão obter vitórias colocando-se como vítimas. Deus é infinitamente misericordioso, mas ele também é poder. O que significa "oração"? A resposta está na própria palavra: Ora + ação = oração. Quando oramos com fé, aquilo que pedimos, crendo no Senhor Jesus, recebemos, ao colocarmos em prática essa fé. Problemas com os filhos causam muita dor, machucam bastante, mas não é pelos problemas que tocamos o coração de Deus, e sim com o agir de nossa fé.

Voltando à história da mulher hemorrágica, temos um grande exemplo disso, pois ela buscou sua cura durante anos, gastou tudo o que tinha e, ao saber que Jesus estaria nas proximidades de sua casa, ela não se fez de vítima diante do problema nem ficou olhando para o seu estado debilitado. Pelo contrário, colocou sua fé em ação, e com sacrifício procurou o Salvador para tocá-lo em meio a uma multidão que o seguia em busca de bênçãos e milagres.

Ela havia determinado que agiria pela fé, e o que aconteceu? "Então ele [Jesus] lhe disse: 'Filha, a sua fé a curou! Vá em paz e fique livre do seu sofrimento'" (Marcos 5:34).

Quando a pessoa age como vítima do problema com um filho, ela está fortalecendo o problema. Por outro lado, quando a fé é acionada, ela coloca você na condição de vencedora, acima do problema, porque há certeza da resposta de sua oração. O problema é esmagado sob seus pés. Saiba que não é seu filho que está provocando essa luta, mas um mal que está agindo na vida dele. "O ladrão vem apenas para roubar, matar e destruir; eu vim para que tenham vida, e a tenham plenamente" (João 10:10).

Mãe, ore não como uma vítima, mas como uma vencedora. Eu creio em milagres, e você também pode crer.

Não se preocupe com o que os outros pensam sobre seu filho.

Amor incondicional

Sylvia Jane Crivella

Mãe, ame seu filho incondicionalmente. Amar um filho não significa passar a mão sobre a cabeça dele ou fazer vista grossa. É entender que ele é jovem e, como tal, passa por muitas fases até encontrar a própria identidade. Aquela roupa estranha ou aquele penteado ridículo não significam um desvio de caráter. São apenas parte de um processo de adequação do visual.

Tenha paciência, mãe! Não se desespere nem fique se martirizando com o que os outros vão pensar. Ame seu filho incondicionalmente e ore por ele incessantemente. O dia chegará em que você se orgulhará dele. Esta é a nossa fé. Continue firme neste propósito, pois a vitória é garantida.

Por trás das nuvens cinzentas

Isis Regina

Escrevo olhando para o céu diante do privilégio dado por Deus de contemplar mais um amanhecer. Olhando para o alto, sigo confiante. O céu derrama a chuva, nuvens pesadas molham a terra como correntes de grandes cascatas. Quando cessa a chuva, surgem as nuances de uma forte luz na imensidão, e as nuvens envolvidas por um lindo contorno iluminado e dourado clareiam novamente com o brilho do sol.

O sol sempre permanece brilhando, mesmo escondido pelas cinzentas nuvens que são apenas passageiras. Da mesma forma, as tormentas da vida vão embora e o sol continua brilhando, ainda que aparentemente não seja notado. A fé nos faz enxergar o sol. Olhe para o alto sempre, mas olhe tão alto, tão alto... que consiga ver o "Sol da justiça" descortinando todos os seus dias, além das passageiras nuvens cinzentas.

"Mas para vocês que reverenciam o meu nome, o sol da justiça se levantará trazendo cura em suas asas. E vocês sairão e saltarão como bezerros soltos do curral" (Malaquias 4:2). Deus é fiel, nunca se esqueça disso.

Nunca desistir

Carlinda Tinôco

Não desista nunca do bem que há dentro de você e não viva esperando que as coisas aconteçam sem que haja determinação e força para alcançá-las. Ser mãe é tarefa gratificante e, ao mesmo tempo, árdua, pois, apesar de já termos passado pelas mesmas necessidades, gostaríamos que nossos filhos não se abastecessem, pelo menos, do negativo. Mas quem pode penetrar no íntimo de cada um, senão aquele que conhece nossos pensamentos e sabe de todos nossos passos? Somente Deus!

O testemunho em casa tem de começar pelos pais, e quando a raiz é boa, não tem como não alcançar a bênção. Temos de dirigir nossos filhos, orientá-los, fazê-los crescer debaixo de uma autoridade estabelecida com respeito, e ter muita paciência. Não é fácil esse papel, pois quando o filho já passou da fase de adolescência, pensa que já pode desempenhar suas atividades e, muitas vezes, ele se recusa a aceitar um conselho qualificado.

Nessa fase da vida, os filhos começam a agir sozinhos, e se não estivermos atentas, aos poucos eles vão se isolando e criando asas com suas escolhas ilusórias e erradas. Pensamos que os conhecemos bem, porém é muito importante acompanhá-los o tempo todo sem interferir em suas escolhas. Com o bom conselho e o apoio equilibrado, contribuímos para que ganhem confiança, podendo ter um diálogo aberto em casa.

Cada um vive da própria experiência, e há pouco tempo passei por uma situação triste, uma surpresa não gratificante e, no momento da notícia, parecia que não teríamos mais chances. E foi por estar nesse propósito de oração que Deus trouxe a luz sobre o que nós tínhamos de fazer: confiar! Porque é muito fácil expressar a Deus o que queremos pedir, mas na espera e na confiança, no momento difícil, ainda que seja por segundos, nós nos esquecemos das nossas orações de entrega.

Graças à grande misericórdia de Deus, fui lembrada do que já havia determinado no blog Mães em Oração: que nós seríamos mulheres de oração para abençoar nossos filhos. Ainda que com tristeza momentânea, tive forças para receber a voz de Deus e olhar para o filho pródigo e dizer: "Deus jamais vai desistir de você." Com o passar das horas, o próprio Espírito foi me alimentando, as forças voltaram e a paz retornou.

Ter filhos é só uma dor, mas criá-los para o bem é árduo. Precisamos ser muito perseverantes para não nos deixar desanimar pelas circunstâncias que nos afrontam. Tenha sempre em conta que não estamos orando para receber filhos aprovados; estamos orando para ganhar almas que estão perdidas ou se perdendo e resgatá-las para o Reino de Deus. Para que, por nossas orações, a misericórdia de Deus as alcance e, assim, possamos fazer aquela festa que fez o pai do filho pródigo quando ele retornou a sua casa, recebendo-o de braços abertos.

Mãe, quando você pensar que está desistindo de seu filho, lembre-se do Deus grande que temos e da força da oração que move qualquer montanha. Não são as falhas que vão prevalecer quando o coração de uma mãe só tem o desejo ver todos os seus filhos nas mãos do nosso Criador. Ao determinarmos que esse lugar é lugar de transformação, seremos testemunhas da força que há dentro da mãe que ora.

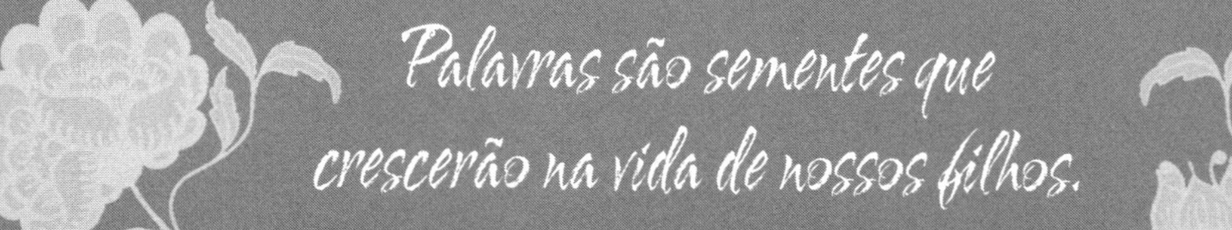

O poder das palavras

Sandra Lages

O poder da oração de uma mãe

Mãe, se você só vê o lado negativo de seus filhos e, num momento de raiva, quando eles fazem alguma coisa errada, dirige-se a eles de forma negativa, saiba que essas palavras têm influência sobre a vida deles. Por exemplo, vou contar o que vivi quando era criança. Cresci ouvindo que eu era inútil, que não era ninguém e que nunca seria nada na vida; que era muito teimosa, muito burra, muito feia, muito gorda, e por aí vai. A lista era grande. Então, involuntariamente, eu absorvi todas aquelas palavras e passei a acreditar. Comecei a me ver exatamente da forma que sempre ouvia dos outros, e como consequência comecei a odiar minha existência.

Fui uma criança frustrada, depressiva e triste, mas ninguém imaginava que aquelas palavras que eu escutava diariamente eram parte daquele grande problema que eu estava vivendo. Ficava doente sem motivo aparente, tinha baixo rendimento escolar, minha autoestima era muito baixa. Sou a prova viva de quanto as palavras negativas e a visão negativa das coisas têm influência na vida de uma criança.

Graças a Deus, quando cheguei à sua presença e o conheci, tudo isso mudou. Passei a ser uma jovem totalmente diferente, comecei a amar minha vida, minha nova e feliz vida com Deus.

Eu deixo meu testemunho para que você possa observar mais as palavras que saem de sua boca em relação a seus filhos e a forma como você os vê. Nossos pequenos são como esponjinhas que absorvem tudo o que está à volta deles. Continuemos orando por eles, mas se fortalecermos nossas orações com mudanças de atitude em relação a nossos filhos, seremos mães invencíveis.

Quem meus filhos beija a minha boca adoça

Marilene Cardozo

"Quem meus filhos beija a minha boca adoça." Esse é um ditado que ouvimos muitas vezes e que, de fato, traduz uma verdade. Quando vemos alguém "fazer mal" aos nossos filhos, mesmo que eles trilhem o caminho de sofrimento por suas próprias atitudes, a dor que sentimos é absurdamente grande. O coração fica apertado, o sentimento de impotência nos faz ficar angustiadas e chegamos a desejar que tudo o que o filho está sofrendo seja com a gente, e não com ele.

Nesse momento, queremos agir como a galinha faz com seus pintinhos, colocando-os embaixo de suas asas para livrá-los dos predadores. Conseguimos suportar com mais firmeza a humilhação, o desprezo, a calúnia ou coisa parecida quando usamos a fé e levantamos a cabeça. Vamos em frente — ainda que machucadas, com dor, mas vamos em frente. No entanto, temos de agir como a águia, pois quando ela percebe que já é chegado o tempo, joga seu filhote ninho abaixo para que, no momento em que se vir sozinho, ele bata suas asinhas e voe.

É difícil para uma mãe, ainda que para a águia, ficar olhando de longe seu filho passar por momentos tão difíceis. Mas os filhos precisam enfrentar as dificuldades da inexperiência de voar sozinho, o medo dos obstáculos, a tristeza da solidão, a fragilidade diante das aves maiores e mais experientes, que muitas vezes os afrontam, ameaçando o voo que está cheio de falhas, manobras erradas, e as tempestades que surgem no caminho.

Diante de todas essas situações, finalmente o filhote, olhando do alto, consegue avistar um lugar seguro para ali fazer seu pouso, retomar suas forças e, com mais experiência e segurança, continuar sua rota rumo ao seu destino, sabendo que não deve mais cometer os mesmos erros que cometeu durante seu primeiro voo sozinho. A mãe águia sabe que, enquanto seu filhote não descobrir suas asas, não entenderá o propósito de sua vida. Enquanto não aprender a voar, não entenderá o privilégio de ter nascido águia.

Cada pessoa é um ser único, cada um tem seus medos e dificuldades, seus erros e seus acertos, e nós, mães, achamos que podemos viver a vida de nossos filhos. É um erro que faz mal não só a eles, mas também a nós. Não podemos nos passar por eles. Precisamos permitir, pela fé, aquilo que somente eles devem enfrentar, e assim se prepararem para voos maiores e mais altos.

Quando a mãe águia lança seu filho ninho abaixo e fica acompanhando de longe, pronta para ajudar se necessário, ela acredita naquilo que Deus, pela natureza, já deixou preparado. Da mesma maneira, devemos crer na promessa de Deus, que diz: "Os filhos do seu ventre serão abençoados..." (Deuteronômio 28:4). Quando descobrirem suas asas, eles voarão livres rumo aos propósitos de Deus. A missão da mãe é agir e falar no momento certo, orar, confiar e crer que aquele que nos prometeu é fiel e justo para cumprir.

O que tem feito por você mesma?

Isis Regina

Mãe pra cá, mãe pra lá... que correria! Quase que não sobra um momentinho para você cuidar de si. Isso acontece com todas nós que, movidas pela responsabilidade e por nosso amor, queremos dar conta de tudo. Até conseguimos, mas muitas vezes não nos cuidamos como deveríamos. Chega a ser engraçado como falamos o dia inteiro para os nossos filhos:

— Já comeu a fruta?
— Bebeu o suco?
— Precisa comer legumes e verduras para ficar forte igual ao seu pai.
— Tira o dedo da boca. Isso faz mal!
— Cortou as unhas?
— Não durma de cabelo molhado para não ficar resfriada.

Mas e quanto a nós? Quando nos cuidamos e dedicamos um tempo para isso? Cuidamos dos filhos e da família tão bem que muitas vezes nos esquecemos do cuidado pessoal, e aí... quem pega o resfriado somos nós.

Penso que, da mesma forma, muitas vezes podemos agir assim diante da fé — ficamos tão focadas em buscar a solução dos problemas de nossos filhos que, sem perceber, esquecemos a necessidade de alimentar essa fé. Você ora por eles constantemente, e quando menos percebe, sua fé está fragmentada. Então, você se pergunta: "Por que me sinto fraca, desmotivada? Como pode, se não cesso de orar?"

Saiba que é do nosso relacionamento com Deus que vem o nosso alimento, o nosso sustento. A mesma fé que você usa para buscar pelo seu filho é a que traz o seu alimento espiritual nessa batalha. Buscar a Deus, reconhecendo toda a sua soberana grandeza, é maravilhoso. Ele é glorificado com a fé daqueles que pleiteiam as suas promessas.

No entanto, são mais felizes aqueles que desejam o Abençoador em suas vidas e não somente as suas bênçãos. Deus quer que o conheçamos. Ele deseja fazer morada em nosso coração, nos trazendo paz, alegria, ânimo, força para a fé. Portanto, alimente sua fé, porque, por intermédio de sua vida, Deus quer gerar milagres. Para isso, ele necessita que você esteja firme como uma rocha.

Continuemos orando por nossos filhos, mas não esqueçamos que nós também precisamos desse mesmo poder. E lembre-se sempre: infinitamente melhor que a bênção é o Abençoador.

Filhos do coração

Isis Regina

— É seu filho? — pergunta a mulher curiosa à outra mulher que supõe ser a mãe.

— É, sim! — a outra responde.

E a primeira mulher começa a olhar o rostinho da criança e o da mãe, analisando as feições. Em seguida, afirma com certa ironia:

— Então, deve parecer com o pai.

A mãe abraça a criança e sabiamente responde:

— Olhe para ele e veja. Ele é a cópia do meu coração. É a minha cara!

A mulher que fez o primeiro comentário dá um sorriso meio sem graça e vai embora.

Criar um filho do coração é um desafio muito grande. Não pela criança, não pelos pais, mas por esse mundo em que muitas personalidades distorcidas se alimentam do *bullying*. São esses os verdadeiros instrumentos de sementes ruins, capazes de destruir um lindo jardim, caso não seja tomada nenhuma providência que o proteja contra os males.

A criança amada, nascida do coração da mãe, há de enfrentar muitas perguntas e questionamentos pessoais, sociais. Todos os filhos, indistintamente, são nascidos do coração de uma mãe de verdade. Toda mãe precisa ter fé para trazer o que há de mais necessário para seu filho em todo o tempo, independentemente de qualquer situação que viva.

Quantas mulheres geraram filhos no ventre, mas não em seus corações? Quantas não cometeram atrocidades com seus filhos? Isso porque, além de estarem possuídas por um mal, foram apenas reprodutoras, e não verdadeiramente mães. Pois o que faz de uma mulher uma mãe de verdade é a capacidade de cuidar de seu filho, sendo ele nascido do ventre ou do coração.

Mãe é mãe; filho é filho. Se geramos com a razão, conscientes de nossa intenção, prontamente amamos de maneira incondicional. E por intermédio desse extraordinário amor de Deus que temos recebido e no qual temos crido, podemos amar nossos filhos em toda e qualquer circunstância, oferecendo-lhes uma base sólida, firme, onde sempre verão a diferença de tudo o que esse mundo enganoso tenta contra eles a fim de lhes fazer esquecer o que realmente são.

Nossas orações depositadas no altar de Deus, com total confiança, acompanham nossos filhos até que, em determinado momento, o mais forte vence: a fé perseverante, *indesistível*, extermina toda a dor, e o verdadeiro amor prevalece. Todas nós somos mães que oram pelos filhos que tanto amamos, nossos filhos do coração. Que tenhamos a consciência de que a indiferença deste mundo é o resultado de um gigantesco vazio, e a diferença é o resultado dos que, cheios de fé, servem a Deus com suas vidas, fazendo-se instrumentos de seu poder.

Cena de amor

Carlinda Tinôco

Um dia desses, vi uma cena linda entre mãe e filha, e me lembrei de que não podemos só olhar para o que estamos vivendo. Às vezes, ficamos tão focadas nos problemas que nos esquecemos do que está ao nosso redor. Não deixe que as circunstâncias vividas ofusquem o belo que você pode apreciar. Materializar o que é bom também nos coloca um sorriso quando vemos o próximo feliz.

Aquela cena marcou meu dia, pois eram tantos mimos e sorrisos que pareciam duas meninas brincando, conversando e compartilhando com satisfação um momento especial, quando se vive o amor puro e genuíno. Por isso, é importante ter bons olhos em toda situação, seja ela boa ou ruim. Precisamos ter forças para alimentar dentro de nós o bem que podemos expressar e deixar a melancolia de lado. Entregar tudo na oração e crer somente que Deus está fazendo tudo pelo justo que o busca de todo o coração. Basta fechar os olhos que prossigo vendo aquela imagem. Agradeço a Deus por aquele encontro de mãe e filha, pois ali vi o que Deus está fazendo na vida dos nossos filhos.

Não desista, mãe. Sabemos que não está sendo fácil, mas a força que está em nós vai mobilizar a fé e fazer acontecer o que ainda não conseguimos. Fazemos a nossa parte, sim, colocamos toda a nossa força, mas é importante também confiar em Deus e deixá-lo agir. Não se intimide com o que os olhos enxergam. Saiba que a fé é certeza de coisas que se esperam e a convicção de fatos que não se veem. Nossos filhos alcançarão o desejo do nosso coração e, com certeza, também passaremos na rua e despertaremos o belíssimo beijo e o carinho do que pude enxergar naquele encontro, numa atitude que toda mãe merece.

Deus entende nossos questionamentos no momento de desespero, mas se nossas perguntas nos impedem de confiar em sua bondade e sabedoria, perdemos a paz e as bênçãos prometidas. Creia em suas orações e permaneça firme nesse grandioso propósito. Alimente-se desse sorriso e busque sempre cenas que possam abençoar o seu dia.

Filhos rebeldes, mães pacientes

Isis Regina

A rebeldia hoje se apresenta disfarçada de boas razões. Há crianças que ainda praticamente bebezinhas já impõem suas vontades, e muitas vezes conseguem o que querem no grito. Presenciei uma cena muito desagradável, na qual a mãe queria ir embora do parque e a criança não queria. Para impor sua vontade, a criança (que deveria ter uns três aninhos) começou a berrar com a mãe diante de todos os que ali estavam e passavam. Ela se jogava no chão, gritando de maneira tão assustadora que chamava a atenção de todos, fazendo parecer que a mãe tinha lhe dado uma surra gigantesca. Nem é preciso dizer como a mãe se sentiu. É só imaginar a cena. Uma vergonha. Ela ficou sem jeito, nem sabia como agir.

Em um mundo de tamanhas facilidades, os pais têm seus filhos e, pensando em oferecer o melhor para eles, trabalham muito. Quando chegam em casa, para compensar a ausência, sem perceberem e pela falta de tempo, acabam mimando os filhos, criando *imperadorezinhos*. E aí, muitos se perguntam: "Onde foi que eu errei?" Sabemos, como mães, como é difícil a tarefa de criar e educar um filho. Mas muitos dos grandes problemas de relacionamento entre mães e filhos, como a rebeldia, nascem da falta de tempo. Qual filho não trocaria o melhor presente por algumas horinhas de atenção, de companhia?

É nessas horas que plantamos as boas sementes e as protegemos contra os fungos da rebeldia. Dessa forma, podemos mostrar a eles o temor a Deus por intermédio de nossa vida. Você lamenta porque nunca pôde fazer isso por seu filho pelas mais diversas razões? Acha que é tarde demais? Não fique triste. É tão maravilhoso o que quero compartilhar que mal vejo a hora de terminar de escrever.

O tempo de Deus para você, querida mãe, é agora, já! Não importa o que aconteceu lá atrás; o que vale é que hoje você tem a oportunidade de começar a viver uma nova história com seu filho ou sua filha. Nunca é tarde para Deus. O passado triste ele apaga e lança no mar do esquecimento; o futuro que você sonha viver ele dá forças para que construa hoje, agora mesmo.

Filhos rebeldes, mães pacientes. Mães que sabem escolher a hora certa de falar, de calar e, sobretudo, que sabem esperar, pois aquele que fez a promessa é poderosamente fiel para cumpri-la. Ore, persevere, tenha paciência e, com essa fé maravilhosa que possui, abrace seu filho, beije-o bastante, diga que o ama, mesmo quando ele agir da pior forma. Deixe-o saber quem é Deus através de sua vida.

Esteja pronta para ouvir sem criticar, e ainda que a língua possa coçar pelo desespero das coisas erradas que presencia, fique em silêncio. Os gritos ecoam diante do silêncio e fazem com que a pessoa tenha a chance de ouvir o que ela própria está falando em voz alta. Espere a hora certa, e aí semeie boas palavras e instrução. Temos a certeza de que, quando oramos unidas nesta fé com você, formamos uma corrente tão forte que o inferno estremece e todo mal foge em nome de Jesus. A vitória é certa, e enquanto você espera pacientemente, perceba que cada uma de nós está sendo lapidada como um diamante bruto nas mãos de Deus, e que a seu tempo será um lindo brilhante. Estamos orando, crendo e confiando.

Querida mãe, em Deus você pode tudo, porque ele a fortalece.

Mães são como flores

Isis Regina

Os olhos contemplam a beleza das flores; a beleza descreve a delicadeza; a delicadeza, uma aparente fragilidade. Nem todos sabem a função das flores, por isso desconhecem a força e o importante papel que elas desempenham. As flores são responsáveis por assegurar a reprodução, a partir da qual sementes e frutos podem nascer. A flor não tem uma vida curta, como muitos pensam, pois a semente e o fruto são uma extensão da flor.

Vejo as mães como flores, com a beleza e a delicadeza que, na aparente fragilidade, têm o poder do Criador, aperfeiçoando a função que possuímos: sermos reprodutoras de boas sementes e bons frutos. Como flores, ora reproduzimos as sementes, ora o fruto.

O segredo das mães que desejam reproduzir boas sementes e frutos é que, como flores, devem ser cuidadas. Mãe tem de ser cultivada no jardim de Deus, onde sua Palavra nos rega como uma "fonte a jorrar", mantendo-nos firmes e saudáveis para cumprir a função de reproduzir as boas sementes e os bons frutos.

Não permita que as pragas ataquem sua beleza jamais. Permita-se ser renovada sempre, regada pela água que purifica, que trata, que limpa. Logo verá que as sementes se tornaram frutos. Mãe, você é uma flor!

Olhe para o alto

Marilene Cardozo

Os pais levaram a filha ao parque de diversões e, chegando lá, a menina decidiu que queria ir na roda-gigante. O pai ficou um tanto apreensivo, pois o brinquedo era bem alto. A filha nunca tinha dado uma volta em uma roda-gigante antes, por isso ele decidiu acompanhá-la.

A roda-gigante parecia bem menor ao ser observada enquanto estava parada. A menina se sentia feliz e agradecida pelo fato de ter o pai junto com ela. Quando o brinquedo começou a se mover, ela viu que estava subindo cada vez mais alto e começou a ficar com medo.

— Você está bem? — o pai perguntou.

— Sim — ela respondeu, engolindo em seco.

A roda-gigante fez mais uma volta e, para surpresa da menina, o brinquedo parou. O seu assento estava muito inclinado, balançando muito acima do chão.

— Estamos bem alto, papai — ela disse, com a voz um pouquinho mais alta que um sussurro.

— Eu sei — ele disse. — É melhor não olhar para baixo. Olhe para cima e para fora. Olhe para as estrelas e olhe para o céu.

Depois de uma pausa, ele continuou:

— Se você olhar para cima ou para fora, você não vai se sentir tonta, não vai passar mal, não vai sentir medo.

A ideia do pai funcionou. Quando começava a sentir medo, a menina olhava para o alto e conseguia admirar as estrelas, esquecendo-se do medo. Ao fim do passeio, ela se sentia vitoriosa, pois conseguira superar os obstáculos que o medo lhe causara.

Assim é com a nossa vida: se você se sentir um pouco nervosa ou insegura, olhe para cima, para Deus. Veja o futuro que ele planejou para você, para seus filhos, para sua família. Se a sua vida está como uma roda--gigante, subindo e girando a ponto de deixá-la tonta, com medo, sem saber se conseguirá permanecer firme até o fim de todas as voltas, olhe para o alto! É de lá que virá o seu socorro.

No fim de tudo, você verá que estar nessa roda-gigante proporcionou uma experiência única. Quando as voltas terminarem e você descer, poderá desfrutar do prazer da vitória, da satisfação de ter superado o medo, dominado a insegurança e conquistado o seu objetivo. Como nessa história, em que o pai não deixou a filha sozinha num momento difícil para ela, Deus jamais nos deixará sozinhas nos momentos difíceis pelos quais passamos. Ele sempre estará conosco, segurando em nossas mãos até terminarem todas as voltas e podermos descer em total segurança.

Olhe para o alto. Contemple o que Deus tem lhe mostrado durante as voltas que a roda-gigante dá, e, chegando ao fim, receberá a vitória.

Isis Regina, de mãe para mãe

Mãe, onde está a resposta que procura? De onde vem o seu socorro? "O meu socorro vem do SENHOR, que fez os céus e a terra" (Salmos 121:2). Por isso, olhe para o alto!

Como separar a fé dos sentimentos

Isis Regina

O amor de mãe é algo tão grandioso que faltam palavras para descrevê-lo. Embora saibam disso, os filhos não conseguem medir a extensão desse amor. Tamanho é o amor, assim como tamanha é a dor quando um filho sofre. Muitas vezes, não bastasse o problema do filho, a mãe ainda precisa enfrentar julgamentos, palavras negativas, o descrédito diante da esperança que abriga na luta pelo filho. Não é nada fácil, e nessa batalha, a maior luta é manter-se firme na ação de sua fé.

Como separar os sentimentos da fé? Imagine-se em um campo de batalha, onde o adversário não para de atirar e muitos estão sendo feridos. O que você faria? Ficaria chorando pelos feridos ou partiria para cima do adversário, lutando com todas as suas forças para acabar com ele? Se a sua escolha foi ficar chorando, então você certamente será mais uma vítima do mal. Estando cabisbaixa, triste, perderá o foco, tornando-se um alvo fácil para seu inimigo.

Por outro lado, se você escolhe lutar porque sabe que pode vencer, se confia plenamente em seu General, quem fugirá de você é o mal. Na hora da guerra, é preciso lutar pela vitória; vence quem olha para o alvo. Da mesma forma, no exercício da fé no Senhor Jesus, é necessário olhar para aquilo que cremos que dele podemos receber, ignorando as emoções, que só nos fazem sentir como as piores pessoas do mundo.

Sem fé é impossível agradar a Deus, e a verdadeira fé não desvia do alvo. Saiba que, se por vezes falhamos como mães — quando a paciência falta e o estresse aflora —, nada disso importa. Mantenha-se firme e caminhe adiante. Lembre que está em um campo de batalhas. Não vencemos por sermos perfeitas, mas pela nossa fé. "Pois, quando sou fraco é que sou forte" (2Coríntios 12:10).

Firmes guerreiras, vamos em frente!

Longa espera

Marilene Cardozo

"Não aguento mais esperar!" Quantas vezes já dissemos isso? Quando estamos esperando por algo que é muito importante para nós e parece que está demorando, logo queremos reclamar, achando que está passando da hora.

Lembra-se de quando você estava grávida? Sabia que tinha um tempo determinado para a chegada do bebê. Mas ainda que a vontade de ver o rostinho do filho tão esperado fosse muito grande, você sabia que deveria esperar o momento certo para dar à luz. Enquanto esperava, ia preparando o enxoval, escolhendo o hospital para o parto, preparando o quartinho. Sabia que, quando ele chegasse, tudo deveria estar preparado para recebê-lo.

E se engravidássemos em uma semana e, na outra, já déssemos à luz? Não teríamos tempo para nada, nem mesmo para arrumar o enxoval, ver hospital ou preparar o quarto. Nada. Ficaríamos perdidas, sem saber o que fazer. Se a criança nasce antes do tempo, fica na incubadora, pois ainda não está completamente formada. Se passa da hora de nascer, pode ficar com alguma sequela. É necessário que o tempo de gestação seja respeitado.

Deus é perfeito, e tudo o que ele faz também é perfeito. Nada do que pedimos a ele chegará antes ou depois do tempo certo. Muitas vezes, parece estar demorando para acontecer, pois a nossa necessidade e ansiedade são tão grandes que achamos já ser o momento. Mas o tempo que estamos esperando é o tempo de que precisamos para que tudo fique pronto para a chegada da bênção.

Parece estar demorando, mas é o tempo necessário para que o que pedimos a Deus chegue perfeito. Assim como a mulher grávida espera pelo nascimento de seu filho na certeza de que dará à luz na hora certa, assim também devemos ter a certeza de que, no momento certo — e somente no momento certo —, Deus fará o milagre acontecer, será tudo perfeito.

Lembre-se: não está demorando; está sendo preparado para chegar perfeito.

Invista nesse relacionamento

Isis Regina

Com tantas tarefas que temos diariamente, e sendo pessoas de boa índole e fé, nós nos empenhamos para fazer tudo da melhor forma possível, pois é uma alegria poder trabalhar, servir, somar, começando essa prática em nossa casa. Sabemos que devemos conquistar a cada dia o companheiro, o grande amor de nossa vida, e quando amamos, aprendemos com os erros e buscamos sempre aprimorar essa união. Para um bom relacionamento existir, é necessário saber investir.

Como mães, necessitamos investir também no relacionamento com os nossos filhos. Não devemos acreditar que, somente pelo fato de sermos mães, isso já basta. É preciso cultivar, conquistar, e tudo com muita sabedoria. Diante dos olhos de uma mãe, a criança vai desabrochando com o passar do tempo, e são inevitáveis as surpresas que seguem no dia a dia. Às vezes, achamos que parece conosco, com o pai, com os avós, os tios... enfim, vamos conhecendo nosso filho a cada dia.

Nesse dia a dia está o segredo para cultivarmos esse relacionamento. Lembro-me de quando minha mãe ligava e dizia que tinha feito um almoço especial para mim, de quando escrevia um bilhetinho e me deixava um presentinho em um dia comum. Bom demais!

E assim, nessa correria toda desse mundo tão agitado, precisamos separar um tempo para isso. Tempo para ouvirmos, para brincarmos, para orientarmos, para darmos o poderoso "beijinho de mãe", para sermos grandes amigas de nossos filhos, não só pelo que sentimos, mas também pelo modo como agimos para com eles.

De que seu filho gosta? Experimente surpreendê-lo fazendo algo que há muito tempo não faz, como buscá-lo na escola, na faculdade, ou assisti-lo jogando futebol, assistir à sua apresentação musical, ao balé, lanchar com ele ou ela em seu lugar preferido ou até mesmo a comidinha que seu filho ou sua filha mais ama, apresentada como um almoço ou jantar especial, com flores de enfeite. Hum... já posso até imaginar que surpresa será.

Proponho aqui surpreender nossos filhos com o amor que exercemos por intermédio de nossa fé, assim como Deus nos surpreende com seu poder a cada novo amanhecer. Tenho certeza de que, com simples gestos e atitudes, brotarão lindas e novas flores em seu lar.

Querida mãe, invista nesse relacionamento. Seu filho agradecerá.

Eu zombava de quem hoje é a razão de minha vida.

De filha rebelde a mãe em oração

Luciana Santos

O poder da oração de uma mãe

Desde criança, sempre sofri com muitas perturbações espirituais. Minha mãe, que se chama Ana Lúcia Lopes, sofreu muito devido aos meus problemas. Eu via vultos, sonhava, tinha premonições, e era uma criança muito revoltada, triste, que só pensava em morrer. Devido a esse comportamento anormal, minha mãe recorreu a vários lugares, buscando ajuda espiritual, mas eu só piorava, até que um dia ela ouviu falar do Deus vivo. Em mais uma tentativa de obter ajuda para sua família, foi a última porta a que bateu porque, a partir dali, tudo começou a mudar.

Minha mãe me convidou para ir com ela à igreja, mas eu e meu irmão rejeitamos o convite. Então ela começou a usar sua fé. Orava antes das refeições, lia a Bíblia, e eu e meu irmão só ficávamos zombando, rindo, pois eram tantas portas a que ela já havia batido que, para nós, era só mais uma.

No início, tudo parecia estar bem, mas os problemas começaram a aparecer em minha vida. Nunca tinha me apaixonado por ninguém, apareceram muitos rapazes pelos quais me interessei, mas por quem realmente me apaixonei foi um rapaz casado. Relutei, não queria aceitar, mas acabei cedendo. Comecei a sair com ele sem compromisso, e então começou a ilusão de que ele não estava bem no casamento, de que eu era a mulher da vida dele.

Eu nunca havia me entregado para ninguém, pois sempre fui muito bem orientada pelos meus pais; mas devido às minhas emoções, não consegui resistir. Entreguei-me de corpo e alma a essa paixão, fiz dele um deus em minha vida. Foi então que ele me apresentou uma proposta de amor: como iríamos nos casar, por que não ter um filho?

Fiquei totalmente cega e aceitei a proposta. Tinha apenas dezessete anos! Quando menos esperava, já estava grávida de dois meses. Estava terminando o Ensino Médio e tive de parar tudo. Procurei o médico, fiz exames e ele me propôs fazer um aborto por causa da minha idade. Saí horrorizada do consultório.

Quando completei quatro meses de gravidez, minha mãe, já desconfiada, descobriu. E ela sempre orava por mim. Começou a minha luta, pois o meu "príncipe encantado", a pessoa em que tanto confiava, estava me enganando. Descobri, por intermédio dos meus pais, que ele ainda estava casado e havia enganado tanto aos meus pais quanto a mim. Foi o fundo do poço. Fiquei sem chão, o meu mundo desabou! Foram meses muito difíceis, quase perdi o meu filho devido à depressão por que passei. Perdi peso e comecei a fumar. A minha relação começou a ficar desgastada. O meu filho nasceu e aquele homem não decidia a vida dele. O sofrimento não tinha fim, não via solução para minha vida.

Foi então que uma amiga de minha irmã me falou de Jesus, e eu vi uma diferença em seu semblante, em seu caráter. Aceitei o seu convite. Jamais me esquecerei daquela segunda-feira, quando, às três da tarde, fui à igreja. Tive certeza de que havia encontrado o caminho certo, de que a minha vida iria mudar. Passei a ir todos os dias à igreja, me sentia preenchida e muito bem recebida por todos que ali se encontravam. Foi quando, no apelo de uma reunião, decidi entregar a minha vida para o Senhor Jesus.

Conversei sério com o pai de meu filho e falei quanto estava arrependida. Pedi perdão a ele e à esposa dele por todo o mal que causei. Entreguei o meu filho naquele altar, fiz um voto com o meu Deus. Eu nunca deixei de acreditar no voto que fiz quando cheguei à igreja, pois tinha convicção de que a palavra de Deus não volta atrás, e quando fazemos um voto a Deus, ele é fiel para cumprir a sua parte.

Hoje eu louvo e agradeço a Deus por meu esposo e meu filho. O meu filho é um homem de caráter, de fé, e hoje nessa fé se dispôs a ajudar as pessoas que estão sofrendo porque não conhecem a verdade transformadora que está em Deus. Minha mãe não desistiu de mim, lutou e perseverou em sua fé e oração tanto por mim quanto por meu irmão. Minha mãe tem a sua família toda restaurada, e continuamos na fé, orando, perseverando, porque nossas vidas são a prova de que tudo é possível ao que crê.

Deus me transformou de uma filha rebelde, motivo de vergonha, a uma Mãe em Oração, uma condição de honra.

Uma heroína disfarçada de uma mulher comum.

A Supermãe

Isis Regina

Ela começa o dia saltando da cama, procurando o relógio, preocupada em não se atrasar. Café da manhã, filho no colégio, beijinho no marido, repassando com ele o roteiro do dia, tarefas de casa, tarefas pessoais, e quando a noite chega, o filho na cama descansando, ela termina os últimos retoques para se adiantar para um novo dia. Fala com Deus e, então, vai dormir.

Em dias de folga, lá vai ela com seus olhos de "raios X", que acham o tênis do filho que deseja jogar bola. Ela encontra quando ninguém consegue achar (embora estivesse bem visível). Sabe onde está a camisa preferida do esposo, a calça jeans preferida da filha, prepara o lanche, o almoço, o jantar. Recebe os amigos em casa, faz um bolinho e está sempre sorrindo.

Mas quem é essa mulher que consegue dar conta de tudo e que para tudo sempre tem um jeitinho mais que especial? É a Supermãe! Uma heroína disfarçada de mulher comum, que retira forças da fé que possui e está sempre pronta a combater, pela oração, os males que queiram atacar seus filhos. Ela sabe que Deus, de onde vem toda a sua energia, está com ela e jamais irá deixá-la sem respostas, por isso segue combatendo, mesmo diante das maiores adversidades, porque crê, porque confia, espera confiante em sua vitória.

Supermãe, ainda que tudo pareça demorado, ainda que as noites pareçam longas, ainda que pareça que nada está dando certo e que, pelo contrário, tudo está piorando, não desista. Não sabemos o tempo de Deus, mas se confiamos, é certo que ele não falha e que sua salvação virá.

Muitas mães estão obtendo a resposta de suas orações, alcançando bênçãos e milagres. Saiba que você será mais uma a compartilhar conosco a sua vitória, e em breve. Você está orando e nós, da mesma forma, nessa corrente de fé. Imagine um exército de mães em oração. O mal bate em retirada em nome de Jesus.

Seu filho ou sua filha é uma bênção! Creia e declare isso todas as vezes que o Diabo quiser afrontá-la. Declare o que espera por meio de sua fé, ao contrário da aparência enganosa do mal. Se enfrenta problemas de enfermidade, diga: "Meu filho está curado em nome de Jesus!"

Se sua filha enfrenta problemas com os vícios e as drogas, declare: "Minha filha está liberta em nome de Jesus!" Se seu filho está rebelde, fugindo da direção certa, proclame: "Meu filho está calmo, transformado, em nome de Jesus!"

Lembre-se: estamos com você nesse propósito. Vamos em frente nessa fé!

Como bananeira

Lorena Sebastian

Olhando pela janela, vi por entre as árvores um rapaz que olhava as bananeiras à procura de um cacho. Quando encontrou, tentou pular para alcançá-lo, mas faltou um pouquinho. Imediatamente, pegou um pedaço de pau e começou a bater com força na árvore, mas a penca apenas balançou. Numa investida certeira, derrubou parte da árvore no chão, pegou a penca e deixou a bananeira ali, danificada, mas firme. Raízes profundas e bem nutridas a mantiveram de pé. Mesmo sem um pedaço, suas folhas continuavam verdes, e parecia que nada a abalara.

Da janela sempre observo a bananeira e, dentro de mim, percebo que torço por ela. É muito interessante esse sentimento, por se tratar de uma bananeira; mas por causa dela, penso: por quantas vezes Deus nos olha de suas janelas, vê as investidas do mal contra nós e observa as nossas reações? Quando o mal toca em nossos frutos, essas reações nem sempre são de perseverança, de superação, de certeza absoluta de que aquilo é passageiro — especialmente quando nossas raízes não estão bem nutridas e se estendem por solos áridos.

Mesmo assim, Deus torce por nós. Ele envia pessoas especiais, mensagens de fé, histórias de vida. Faz de tudo para que possamos permanecer de pé. Firmes. Assim, providencia tudo para que nossas raízes não morram. E com sua poderosa mão, ele as direciona para um solo fértil onde, depois de muitas experiências, nossa vida floresce com um cacho de vitórias.

Querida mãe, o momento é de alegria. Deus, sempre com os olhos atentos em nós, criou o espaço do blog Mães em Oração para que possamos exercitar juntas a nossa fé, orando sempre, fortalecendo umas às outras e, assim, resplandecer em breve a glória de Deus com nossa nova história de vida. Nossos filhos, livres, salvos e felizes — frutos regados com lágrimas preciosas que mantiveram as raízes nutridas. Creia, persevere e confie.

Isis Regina, de mãe para mãe

Certas situações que vivenciamos podem surgir como um grande golpe, como o homem que tentava pegar a penca de bananas e, para isso, usava sua força, deixando a bananeira danificada. Porém, mesmo assim ela se manteve firme. Como é possível manter-se inabalável diante de golpes tão duros e inesperados? "Os que confiam no SENHOR são como o monte Sião, que não se pode abalar, mas permanece para sempre" (Salmos 125:1). Coloque toda a sua confiança em Deus.

Mãe, seus filhos precisam de você

Isis Regina

Quando gritam, precisam encontrar a paz em seu silêncio como resposta para se calarem. Quando são indiferentes, precisam que você faça algo diferente, revelando que o amor verdadeiro se supera todos os dias. Quando se rebelam, estão à procura do que perderam dentro de si e precisam de suas mãos para ajudá-los a encontrar as chaves. Quando parecem não ser agradecidos por todo o conforto que você lhes proporciona, precisam do conforto que somente sua atenção e seu carinho oferecem.

Quando vão mal no colégio, precisam do reforço da melhor professora que exite: a sábia mãe. Quando se afastam, precisam que você se aproxime. Quando acham que sabem tudo, precisam que você os compreenda e deixe que o tempo ensine que a prepotência é o escudo dos fracos. Quando sonham, precisam que você acredite sempre. Quando se arrependem, precisam que você os perdoe, esquecendo o passado.

Sempre que o seu filho precisar, é importante que ele saiba que tem uma mãe que vai orar por ele sempre, sabendo amá-lo. Quem persevera o faz porque crê, e quem crê vê o milagre acontecer.

Deixe seus filhos saberem que podem contar com você, pois "tudo é possível ao que crê."

Eu sou uma "Ana"

Isis Regina

Uma senhora com olhar cansado suspira e diz: "Eu sou uma 'Ana'." Com os olhos cheios de lágrimas, ela continua: "Imagino a dor que ela viveu, pois também vivo essa dor pelo meu filho. Imagino o que ela teve de enfrentar. Só que eu não luto para ter um filho, mas para não perdê-lo. Meu filho está nas últimas."

Talvez você esteja como essa mãe, vivendo o limite de sua dor, de seu problema. Talvez seu filho (ou sua filha) tenha sido desenganado pela medicina, pela sociedade, pela vida. E isso é como uma faca cravada em seu peito, que dói tanto a ponto de fazê-la ter o desejo de sumir, de dormir e não acordar mais... somente para não ver mais o sofrimento de seu filho.

O filho consumido pelo problema e você, pela dor. Precisa de ajuda, sua alma pede socorro, suplica por um milagre para salvar sua família desse tormento. Sua fé está fragmentada em pedacinhos como o vidro da taça de cristal quebrada no chão. Está tão desgastada, tão cansada que não vê mais saída. Embora saiba que para Deus não há impossíveis, a dúvida bate à sua porta todos os dias com os problemas que se agravam cada vez mais. Quando chega a noite, você vive o medo e a incerteza que lhe roubam o sono. Quanto cansaço e preocupações! Então, revoltada, você diz: "Não suporto mais! Até quando?"

Esta é a resposta: até o momento de entregar seu problema, seu filho, sua vida nas mãos de Deus. A fé ainda está dentro de você, não a perdeu como pensava. Mesmo que pequenina como um grão de mostarda, ela é completamente suficiente para você erguer os montes de problemas que a fazem sofrer e lançá-los no mar do esquecimento. Diga agora mesmo: "Eu posso tudo em quem me fortalece, e meu Deus vencerá essa guerra por mim!"

No exercício da fé nos fortalecemos, tornamo-nos aptas a vencer desafios. Neste momento em que lê estas palavras, perceba que uma certeza resplandece dentro de você como uma luz no fim do túnel, pois sua fé, até então adormecida, está sendo agora despertada. Você é uma guerreira, e com sua fé tudo pode mudar e se transformar.

Seja qual for a sua batalha, querida amiga, saiba que para Deus não há impossíveis. "Disse-lhe Jesus: 'Eu sou a ressurreição e a vida. Aquele que crê em mim, ainda que morra, viverá'" (João 11:25). A verdadeira fé ri das impossibilidades. Use a sua fé e vença em nome de Jesus. Deus está com você, não há o que temer. Estamos com você nessa guerra e vamos celebrar juntas a vitória de Deus em sua vida, pois sua vitória é também a nossa vitória.

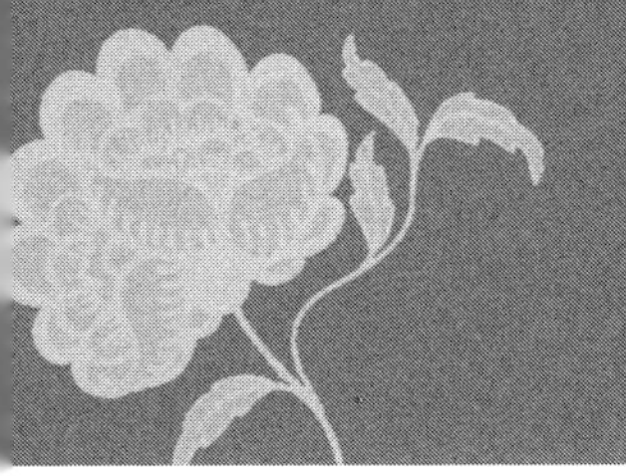

Joelhos no chão, ouvidos no alto

Marcia Coelho

Ouvir a voz de Deus é maravilhoso. Melhor que isso é estar pronta a obedecê-lo, e por causa desse relacionamento com ele, o obedecer é automático. Não temos dúvidas, mesmo que antes já tivéssemos uma opinião formada e definida quanto à atitude que iríamos tomar.

Pode ser que, neste momento, você esteja em dúvida no que se refere à atitude a tomar, mas eu aconselho você a dobrar os seus joelhos e se entregar à oração. Rasgue o seu coração e mantenha os seus ouvidos no alto, e a resposta virá como uma flecha certeira. Deixe os sentimentos de lado e escute a voz de Deus, mesmo que ela seja contrária à sua vontade, e não duvide, só obedeça.

"Mas quando você orar, vá para seu quarto, feche a porta e ore a seu Pai, que está em secreto. Então seu Pai, que vê em secreto, o recompensará" (Mateus 6:6).

Isis Regina, de mãe para mãe

É instantâneo o resultado da fé. Muitas informações imbuídas de religiosidade dificultam o acesso a Deus. A todas essas informações "respondeu Jesus: 'Eu sou o caminho, a verdade e a vida. Ninguém vem ao Pai, a não ser por mim'" (João 14:6). "Peçam, e lhes será dado; busquem, e encontrarão; batam, e a porta lhes será aberta. Pois todo o que pede, recebe; o que busca, encontra; e àquele que bate, a porta será aberta" (Mateus 7:7-8). Por que não orar agora mesmo e provar o poder de Deus em sua vida?

Medo de mãe

Isis Regina

Você percebe os sinais de que não está nada bem. Seu filho ou sua filha muda o comportamento, evidencia um problema, mas você prefere ignorar. Até que vem o dia em que não dá mais para fugir da realidade. A dor e o desespero batem à sua porta e só lhe restam duas opções: lutar por ele (ou ela) ou se tornar refém do problema, chorando sempre às escondidas.

Infelizmente, nem todas as mães despertam para a força que possuem. Falta a coragem, a ousadia para ir contra o mal. Preferem o conformismo, dando seu jeitinho no dia a dia, pois para elas é mais cômodo do que se posicionar e lutar com as armas da fé. Quando entendemos que, por meio da fé, temos esse poder e essa autoridade em nome de Jesus, não há receio de lutar, de se posicionar.

Tendo uma postura movida pela oração, pela fé, pela confiança, a luta se intensificará a princípio, mas se você resistir firme até o fim, é certa a vitória. Saiba que é a sua fé que trará à existência o que para seu filho ou sua filha será a cura, a libertação dos vícios, as portas se abrindo para um futuro promissor.

Querida mãe, desperte! Não deixe que a comodidade esconda o seu medo de encarar o problema, seja ele qual for. Se usar a sua fé, não temerá. Irá lutar porque tem a certeza de que aquele que fez a promessa é fiel para cumpri-la: "Creia no Senhor Jesus, e serão salvos, você e os de sua casa" (Atos 16:31). Não há impossíveis para Deus. Ore, creia e determine pela fé. Deus está com você.

Mãe em oração oferecendo o que recebeu

Luciana Santos

O poder da oração de uma mãe

Durante dois anos vivi momentos que não desejaria a nenhum ser humano. Nesses momentos, por meio da fé, podemos encarar essas situações como uma oportunidade em nossa vida para podermos relatar o seu poder.

Criei a minha enteada desde os seus dez anos como criei meu filho, dedicando amor, carinho e amizade. Mas, com o passar dos anos, por influências de palavras negativas, ela passou a ficar revoltada e começou a me rejeitar. Passei a enfrentar um grande desafio: teria de reconquistá-la e revelar para ela o verdadeiro amor, a salvação que está em Deus.

Durante essa revolta, com tantos conflitos em sua jovem mente, ela começou a procurar apoio nas fantasias e ilusões que este mundo oferece. Logo apareceu um rapaz que a fez viver uma grande decepção. Isso entristeceu o pai dela e a mim. Pela educação que demos aos nossos filhos, como poderia ela estar vivendo uma vida totalmente diferente? Os momentos que vivi foram de grande tribulação, e não compreendia o que

Deus realmente queria me mostrar com aquela situação — afinal, sempre dei o meu melhor ao criá-la, oferecendo o meu amor e a minha dedicação.

Foi então que ela foi embora, revoltada comigo e com o pai. Comecei a minha luta em constante oração. Até que, certo dia, fui convidada a fazer parte do Mães em Oração e me unir às outras mães para orar pelos meus filhos e pelos demais. A partir de então, não me via mais sozinha nessa batalha, mas cercada por mães que me deram suporte total. Elas me ajudaram a crer no impossível, fortalecer a minha capacidade de perdoar, saber conviver com as diferenças contrárias à minha fé, ter paciência. E assim como um dia fui uma filha rebelde, alcançada pelas orações de minha mãe, com a mesma fé e amor queria oferecer o que recebi.

É muito fácil perdoar se não temos de conviver com a pessoa, mas se continuamos a conviver com ela, não é fácil perdoar sem guardar nenhum ressentimento, sem relembrar o passado e o quanto aquela pessoa machucou você e provocou situações muito desagradáveis. Porém, não é impossível para o Deus em quem verdadeiramente eu creio.

Por intermédio de minhas orações ao lado das outras mães, Deus me concedeu o momento para essa reaproximação, que não existiria sem a ponte do perdão. Eu pedi perdão a ela para resgatá-la — isso era uma das coisas que o Espírito Santo me cobrava. Várias foram as tentativas, mas depois de longos dois anos foi que consegui realmente perdoar, vencer meus sentimentos, usando a fé com inteligência, como temos aprendido cotidianamente.

Foi quando meu esposo resolveu marcar uma reunião de família. Fui com o meu coração totalmente despojado de qualquer ressentimento e totalmente confiante no meu Senhor Jesus. Seria meu primeiro contato com a minha enteada depois de dois anos. A princípio, foi muito frio. Eu me vi totalmente desprezada e sem valor diante de seu comportamento para comigo, mas não perdi a minha fé, sempre confiante. Lembrava a Deus que estava ali por uma boa causa, não queria mais brigas, guerras nem disputas. Eu estava ali num propósito: ganhá-la para Deus.

Durante a reunião com a família, minha enteada ficou totalmente indiferente, até ser surpreendida pelo pai com um pedido de perdão. Ela sabia a dor que lhe havia causado com suas atitudes rebeldes, e juntos atravessamos a ponte do perdão. Ela não resistiu e começou a chorar. Houve a libertação de todos os sentimentos ruins do passado.

Falei para ela quanto eu havia orado por aquele momento, e que não estava sozinha naquela batalha — contava com as amigas Mães em Oração. Vi como ela se sentiu confortada ao ver que realmente há pessoas que a amam e se preocupam com ela. Senti em meus braços aquela garotinha de dez anos. O mal foi amarrado naquele momento, e tenho certeza de que a alma dela foi ganha para o Senhor Jesus.

Sei como é difícil negar a própria vontade quando temos toda a razão a nosso favor, mas quanto vale uma alma para ser ganha para o Senhor?

> Então o senhor chamou o servo e disse: "Servo mau, cancelei toda a sua dívida porque você me implorou. Você não devia ter tido misericórdia do seu conservo como eu tive de você?" Irado, seu senhor entregou-o aos torturadores, até que pagasse tudo o que devia. Assim também lhes fará meu Pai celestial, se cada um de vocês não perdoar de coração a seu irmão.
>
> Mateus 18:32-35

É exatamente como diz a Palavra de Deus: com o perdão que nos redimiu podemos perdoar e recomeçar pela fé. Somente pela minha fé e minha crença nesse Deus, que é tão grande e sublime, consegui vencer esse meu deserto — e com as minhas amigas Mães em Oração, que posso dizer que são verdadeiras irmãs!

Estou ocupada agora!

Marilene Cardoso

Se você esta andando na rua e, de repente, sem querer, esbarra em alguém, qual é a sua reação? O normal é sempre pedir desculpas, não é? Em casa, com nossa família, nem sempre é assim que agimos. Muitas vezes temos uma grande facilidade de lidar com pessoas que acabamos de conhecer, conseguimos ser gentis, doces nas palavras e nos colocamos à disposição para ajudar. Mas cometemos o erro de achar que as pessoas que estão mais próximas de nós devem entender nossas atitudes rudes, nossa falta de paciência, e não nos preocupamos se estamos ferindo ou magoando as pessoas que mais nos amam.

Quantas vezes nossos filhos vêm até nós quando estamos preparando a comida ou arrumando a casa, enfim, fazendo algo que toma nosso tempo, e logo queremos dispensar aquela *pessoinha* que somente quer um pouco de atenção. Às vezes, colocamos nosso esforço em coisas muito menos importantes que a nossa família, as pessoas que nos amam, e não nos damos conta do que realmente estamos perdendo. Perdemos o tempo de ser carinhosas, de dizer um "eu te amo" ou um "obrigada", de dar um sorriso ou de falar o quanto cada pessoa é importante pra nós. Em vez disso, agimos com dureza e não percebemos o quanto isso machuca os nossos queridos.

A família é o nosso maior bem. Diga ao seu filho que você o ama. Peça desculpas se você foi muito rude, volte atrás se foi injusta. Não deixe que as pessoas que você ama fiquem sem saber disso por suas palavras e atitudes.

Isis Regina, de mãe para mãe

Nessa grande correria do dia a dia, a falta de tempo é desculpa para tudo. Sabemos muito bem quais são nossas responsabilidades, mas não devemos abrir mão do que é mais importante. Devemos estar focadas sempre para não perdermos a direção. Quando sabemos priorizar o melhor, sempre temos tempo para a "boa parte". "Respondeu o Senhor: 'Marta! Marta! Você está preocupada e inquieta com muitas coisas; todavia apenas uma é necessária. Maria escolheu a boa parte, e esta não lhe será tirada'" (Lucas 10:41-42).

Assim como Maria, que deixou seus afazeres e escolheu a "boa parte", temos de saber escolher. Os resultados são visíveis na vida de quem faz essa escolha.

O mal se corta pela raiz

Isis Regina

Quando olhamos uma árvore com galhos secos, logo nos questionamos sobre o que há de errado para que esteja assim. Descobrimos que os problemas estão em suas raízes, que por estarem ruins, impedem que a árvore possa florescer e dar frutos. Quem já não ouviu falar que o mal se corta pela raiz? E essa é uma grande verdade! Quando vemos o mal, devemos cortá-lo pela raiz, arrancá-lo fora.

Deus nos orienta a atentar para as nossas raízes, pois temos o conhecimento de que "não existem problemas órfãos". Muitas vezes, apenas uma palavra usada indevidamente com um filho pode ser a raiz do grande problema atual que impede a felicidade. Da mesma maneira, traumas familiares causados por diversos problemas, insegurança, medo, tudo isso tem uma raiz ruim que cresce junto com as outras, mesmo que sejam boas. Apenas uma raiz ruim é suficiente para amarrar toda uma vida.

Como mães em oração, que confiam os filhos a Deus, devemos aproveitar essa direção para nos mantermos atentas a toda e qualquer raiz ruim, a fim de obter as flores e os frutos que são produzidos quando as raízes são boas. "Cuidem que ninguém se exclua da graça de Deus; que nenhuma raiz de amargura brote e cause perturbação, contaminando muitos" (Hebreus 12:15).

Quando se examina a raiz, as respostas para os problemas que ainda não foram solucionados são encontradas. É preciso arrancar de uma vez por todas as raízes ruins. É certo que, fazendo assim, nada impedirá sua oração de ser respondida. Estando totalmente livre de qualquer raiz ruim, sua vida frutificará.

Quando a mãe precisa de ajuda

Isis Regina

Querida mãe, você tem sofrido tanto pelo problema de seu filho ou sua filha que, sem perceber, juntamente com esse problema, tem se autodestruído. Não é nada fácil ver alguém que saiu de você, de seu ventre ou de seu coração, completamente mergulhado no engano. Cada sofrimento, cada dor em um filho dói duas vezes mais em uma mãe. Como poderá ajudar seu filho se está precisando de ajuda?

Não adianta mergulhar no problema, alimentar pensamentos que a empurram para baixo, tal como o de se achar a pior mãe do mundo, principalmente quando vê outros filhos vivendo felizes ao lado de suas famílias. Você precisa se cuidar! Nossas palavras têm o poder de declarar bênçãos ou maldições. Talvez você pense assim: "Mas eu só digo palavras boas para meu filho." Eu pergunto: e como essas palavras saem de você? Com aquela voz de sofrimento? Algo do tipo: "Filho, olhe para sua mãe. Tenha pena de mim"? Se ele não consegue nem enxergar ainda as próprias atitudes, como conseguirá entender o que você está lhe fazendo?

Você precisa viver o que deseja ver na vida de seu filho e ser um testemunho vivo para ele. Quando ouvimos falar de uma comida saborosa da qual nunca provamos, podemos achar até bom, mas dificilmente nos levará a prová-la, pois não vimos, não sentimos seu aroma. No entanto, quando podemos ver, sentir o perfume da comida, automaticamente vem o desejo de prová-la.

Da mesma forma é quando queremos que alguém veja o que é bom. Temos de nos tornar amostras dessa visão. A verdadeira felicidade só encontramos em Deus, e se você confessa essa fé, você tem de passar isso. Não consegue? Então, busque isso para a sua vida. Você se entregará nessa fé, achará paz para ter sabedoria para agir em meio ao caos. E quando isso acontece, são derramadas as sementes que farão o deserto florescer, porque a partir daí nada e ninguém pode impedir a sua vitória.

Renove-se em seu interior e em seu exterior. Contrarie tudo o que deseja roubar sua felicidade, agindo com a sua fé. Sorria quando quiser chorar, vá em frente quando quiser parar. Quando avançamos na batalha, firmes e destemidas, o mal tem de recuar, pois à nossa frente temos o escudo da fé, e o nosso General é o Senhor Jesus.

Onde foi que eu errei?

Marliene Cardozo

Há situações que enfrentamos na vida em que é esta a pergunta que fazemos a nós mesmas. Passamos o tempo todo "tentando" fazer as coisas da melhor forma possível, principalmente no que se diz respeito aos filhos. Até parece que filho vem com um manual de instrução. Que decepção quando acontece algum fato totalmente contrário a tudo aquilo que nós ensinamos.

Muitas vezes, nesse momento começamos a nos culpar, acreditando que não conseguimos atingir o objetivo de passar os melhores valores. De fato, é sempre bom fazer uma análise de nossas atitudes e ver se estamos errando em alguma coisa, se precisamos melhorar em alguma situação, sempre buscando a orientação de Deus para agir da maneira certa e no momento certo. Afinal, nós, mães, não somos perfeitas. Por vezes, podemos estar agindo de uma forma que não seja adequada para aquela situação. No entanto, ficar se questionando e se culpando por algo que já aconteceu, que não pode mais voltar atrás somente fará com que sua fé esfrie ou mesmo desapareça.

Se erramos em algum momento da criação e da educação de nossos filhos, isso não importa. O que vale é termos a sabedoria de fazer do limão uma limonada, ou seja, buscar reverter a situação por meio da oração e de atitudes dirigidas por Deus.

Chega um momento na vida em que os filhos querem tomar as próprias decisões, mas aquilo que ensinamos para eles desde pequenos esta lá, bem guardado, e no momento em que as coisas parecerem não ter mais saída, serão nos ensinamentos que tiveram em casa que eles irão encontrar o refúgio. Nessa hora, Deus fará com que as sementes que foram plantadas floresçam. Não podemos perder tempo com perguntas e questionamentos; se as coisas não aconteceram como planejamos, devemos seguir e perseverar, sempre direcionados pela bússola da fé. "Entregue o seu caminho ao SENHOR; confie nele, e ele agirá" (Salmos 37:5). Apenas creia.

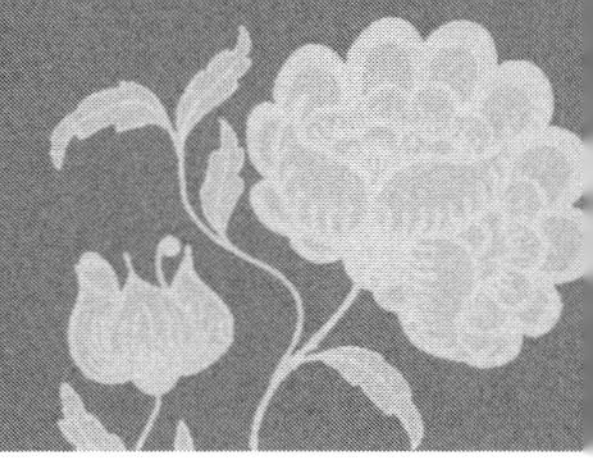

Dona Vera, uma mãe do coração

Claudia O. Brito

O poder da oração de uma mãe

Tinha quatorze anos de idade quando tomei a decisão de seguir o caminho da fé. Durante os anos que vivi a partir dessa decisão, nada foi fácil pra mim. Minha mãe não era presente porque tinha de trabalhar muito para me sustentar, vivia separada de meu pai e em todo o tempo me negava qualquer contato com ele. Ela achava que tinha o controle de tudo, era muito amargurada pela vida, e o ódio no coração dela era muito forte contra o meu pai. Eu sofria as consequências desse amargo sentimento que controlava a vida de minha mãe. Por eu ser muito parecida com meu pai, fazia com que ela sempre se lembrasse dele ao me ver.

Cresci em meio a todo esse dilema. Tinha vontade de conversar, de sair, de ter uma vida que eu considerava normal. No entanto, minha mãe nunca tinha tempo para mim. A palavra "ocupada" era o que mais ouvia como desculpa. Em minha adolescência, isso me custou muito, pois queria a presença de minha mãe, mas nunca tinha esse tempo com ela.

E assim fui levando até que, quando estava prestes a completar quinze anos, conheci uma senhora muito especial que se sentava comigo e me ensinava muitas coisas. Ela me dava conselhos, apontava novas direções para minha vida com uma visão grandiosa da fé. Eu me lembro que saíamos juntas e ela compartilhava tudo comigo. Ela me chamava de "filha". Sua voz sempre foi muito doce, mas, como uma mulher sábia, na hora de chamar a atenção, bastava um olhar e ali ficava eu, sabendo que poderia me aplicar em ser melhor, pois ela me ensinava com muito carinho.

Tudo isso me fez muito próxima daquela senhora. Eu tinha um carinho forte por ela, como o que se tem por uma mãe. O cuidado dela para comigo era grande, expressado em gestos como o de ver se eu tinha me alimentado, olhar para os meus pés e ver se eu estava precisando de sapatos, observar como eu andava, enfim, ela agia como a mãe que precisamos.

Eu me sentia totalmente parte daquela família, sempre muito divertida, com uma alegria constante, e seus filhos me tinham como se eu fosse a filha do meio. Em todos os momentos em que estávamos juntas, ela me pedia ajuda, queria minha opinião, me ajudando a desenvolver a minha maturidade.

Nesse tempo, como eu ficava mais com eles do que em casa, minha mãe demonstrou um ciúme incontrolável. Ela sabia o quanto era ausente em minha vida. Mas mãe é mãe, e por esse comportamento dela, fui despertada para algo que eu desconhecia — que ela me amava muito. Pela companhia de uma mãe do coração, fiquei mais feliz, e a cada dia avançava mais em fazer coisas que jamais imaginava fazer, com uma confiança que me deixava tranquila por dentro.

Dona Vera Vieira, minha mãe do coração, ensinou-me a entender que tais atributos em sua vida, que me faziam admirá-la, eram por causa do verdadeiro encontro com Deus, e que minha mãe ainda não fazia o mesmo por mim não pelo fato de não me amar, mas pela ausência desse encontro. Aprendi a amar minha mãe e ajudá-la, procurando compreendê-la, e tive a oportunidade de vê-la ter esse encontro antes de ela partir.

Deus usou a dona Vera para que eu conhecesse o verdadeiro amor. Ela me ensinou a usar a fé para conquistar, e foi usada por Deus também para me apresentar ao meu querido esposo. Enfim, uma mulher que me ensinou a dar os primeiros passos na fé. Sou muito grata a dona Vera, que até o dia de hoje é uma mãe do coração, sempre em oração pela minha vida.

Criei minhas filhas nessa base tão sólida que aprendi e recebi. Hoje sou também uma Mãe em Oração pelas filhas queridas que Deus me deu e pelas filhas e pelos filhos do coração que Deus está enviando e vai enviar por meio desse propósito, para que eu ore assim como a querida dona Vera Vieira fez e faz por mim.

Quem precisa mudar?

Isis Regina

Sabe aqueles momentos quando um filho aborrece muito a mãe? A vontade que vem no primeiro impulso é a de revidar essa atitude. Se você não tiver domínio sobre suas emoções, acaba colocando tudo a perder — afinal, como pode orar por seu filho ou sua filha e, na hora da raiva, amaldiçoá-lo?

Daí o motivo pelo qual muitas orações ainda não foram respondidas. Algumas mães oram pelos filhos, mas agem de maneira completamente diferente de como oram. Muitas vezes, a mudança que desejamos ver no próximo tem de começar em nós mesmas. Mãe não é perfeita, embora seja alguém cheia de amor. Mas de nada terá proveito esse amor se não usar a fé com inteligência.

As emoções são passageiras, e se agimos em função delas, nós acabamos nos tornando como as ondas do mar, inconstantes. Existem mães que sabem que os filhos precisam mudar, mas e quanto a elas?

Mãe, é hora de acordar. Você é um espelho para seu filho e sua filha, onde eles podem ver algo melhor, um exemplo sempre. Ore, confie plenamente e faça tudo diferente do que as adversidades lhe pedem para fazer. Por quê? Porque, se você ora, também crê. Você confia na ação de Deus sobre a vida de seus filhos. A sua vitória está aí, dentro de você. Busque a sabedoria que vem de Deus e se torne uma referência de seu poder.

Quando decidimos agir por essa fé, as lutas momentaneamente podem parecer aumentar, mas é a reação do mal diante da ação de sua fé.

Fique firme na fé, agindo com sabedoria, falando na hora certa, de maneira correta, avaliando seus erros, procurando corrigi-los também, sabendo pedir perdão, sendo para seu filho ou sua filha o que deseja que ele ou ela seja para você.

Por que isso na minha vida?

Mariene Cardozo

Minha filha, quando criança, quase me deixava louca, perguntando: "Por quê?" Mal acabava de responder e lá estava ela de novo: "Mas por quê?" As crianças não são as únicas que fazem essa pergunta. Os adultos também perguntam e, às vezes, perguntam muito. E enquanto perguntamos o porquê não prestamos atenção no "para quê". Não são poucas as vezes que situações nos levam a questionar, murmurar e concentrar nossas forças no alvo errado. Enquanto ficamos perguntando "por quê?", permanecemos parados no mesmo lugar, querendo descobrir algo que muitas vezes não é o que fará as coisas mudarem.

Entender para que estamos vivendo aquele momento pode ser o primeiro passo rumo à solução. O povo de Deus no deserto passou quarenta anos dando voltas no mesmo lugar, pois murmurava, questionava, reclamava de algo que aparentemente estava lhe fazendo mal, mas se procurasse entender a razão pela qual estava passando por aquele caminho, o trajeto duraria apenas quarenta dias.

Sabemos que, na prática, não é tão fácil assim. Quando vivemos uma situação que provoca sofrimento, principalmente quando estamos fazendo as coisas de maneira correta, a tendência é levantar o mesmo questionamento. Nessa hora, em especial, temos de olhar para o alto e acreditar de verdade que existe um Deus que é justo e jamais permitirá que nossas lutas sejam acima de nossas forças, mas garantirá que ocorram no momento certo, não no momento que achamos certo. Ele nos dará a vitória.

Não podemos duvidar de Deus, porque é isso que fazemos quando ficamos questionando. Fé é a certeza das coisas que se esperam e a convicção das coisas que não se veem. Portanto, se temos fé que aquilo que pedimos a Deus está sendo providenciado e que jamais ficaremos sem resposta, não podemos questionar o porquê de tudo. Devemos simplesmente confiar que, no momento certo, a resposta chegará.

Você alguma vez já perguntou "por quê" sem obter uma resposta satisfatória? Lembre-se: "Deus está em seu santo templo", mesmo que as aparências digam o contrário. Ele está controlando tudo para você e para mim. Isso é uma resposta suficiente aos questionamentos, por enquanto. Com certeza, logo veremos a materialização daquilo que pedimos.

Cansada, não mais; renovada, sim!

Isis Regina

Um problema chama outro problema — assim tem sido a sua vida? Tem a impressão de que Deus se esqueceu de você? Há muito não consegue ver a alegria nos seus dias? O medo, a dúvida e o desespero tomam conta de seu coração?

No Espírito de Deus há segurança em meio ao caos. Quando projetamos algo baseado em nossa fé, agimos por meio dela, orando e confiando, e assim determinamos a realização do que necessitamos ou sonhamos, enfim, do que desejamos ver acontecer. E essa certeza segue em todo instante, mesmo diante das lutas. Uma estratégia do mal para impedir ou atrasar nossas vitórias é tentar nos vencer pelo cansaço.

Certa ocasião, os discípulos estavam no barco com o Senhor Jesus quando foram surpreendidos por uma forte tempestade. Quando o temporal parecia querer tragar o barco com grandes ondas, eles se desesperaram e o acordaram, dizendo: "Mestre, Mestre, vamos morrer! Ele se levantou e repreendeu o vento e a violência das águas; tudo se acalmou e ficou tranquilo" (Lucas 8:24).

Sabendo os discípulos que o Senhor Jesus estava no barco com eles, por que deveriam temer? Assim, muitas vezes você ora e logo depois se desespera. Esquece que, em meio à tempestade que se apresenta, Deus está em seu barco. Por esse motivo, quem poderá ser contra você? Quem poderá impedir você de alcançar seu alvo? Quando confiamos a Deus a nossa vida e também a de nossos filhos, não há o que temer. Ainda que pareça demorado, tão certo como a noite cede ao dia, e as tempestades, ao céu azul, você verá nascer a bênção que espera.

Querida mãe, não conte seus dias como mais um durante essa espera, e sim como menos um dia para a chegada de sua vitória. Lembra? Na gravidez contamos os dias assim: faltam tantos dias para ele (ou ela) nascer. Não se esqueça de que se o Senhor Jesus está no seu barco, você deve ficar tranquila e linda como sempre foi. Deus deseja brilhar por meio de sua vida. Permita que seus filhos e todos os de sua casa sejam embriagados pelo aroma de seu mais novo perfume: fé em ação. Todos verão a diferença e você dirá: "Ah! Que dia! Cansada, não mais; renovada, sim!"

As aflições nos desviam do foco

Carlinda Tinôco

É a fé que nos faz ser ouvidas por Deus. Por essa razão, muitas vezes não recebemos a resposta imediata porque buscamos derramar toda a nossa força nas aflições e nos desviamos do objetivo maior, que é o de confiar plenamente em Deus. Você acha que é justo dizer: "Maior é a minha justiça do que a justiça de Deus"?

Quando estamos enfraquecidos na fé, o desespero toma conta do nosso ser de tal maneira que ocupa todo o nosso tempo. É nessa ocasião que nos derramamos em lágrimas e nos sentimos como coitadas. Que triste realidade. Mas é assim que muita gente tem vivido, inclusive nós, mães, diante dos problemas que enfrentamos com nossos filhos.

Atente para os céus e veja, contemple as altas nuvens acima de você. É bem verdade que, no momento da tribulação, não conseguimos enxergar nada. Tiramos o foco do que pode nos abençoar e ficamos perdidas como no deserto, sem saída. Quantas são as mães que, no momento da leitura, nem conseguem se concentrar para receber a resposta que Deus tem para cada uma? De que me servirá se, nesse exato momento, o filho estiver sofrendo, passando por variados conflitos, sendo maltratado ou nem tiver chegado em casa?

A nossa impiedade só faz mal a nós mesmos quando deixamos que ela absorva a nossa razão, inconscientemente alimentada pela forte emoção de um sentimento que nos engana para nos distrair e tirar o foco principal, que é entregar tudo nas mãos de Deus e somente confiar.

Às vezes clamamos por causa das muitas opressões, e nossa justiça é de maior proveito para os filhos dos homens. Mas temos um Deus tão grande que nos ensina mais que os animais da terra e nos faz mais sábios que as aves dos céus. Se ele não nos responde como convém, saiba, mãe, que ele não ouve gritos vazios. Deus é poderoso, forte, inabalável, dá sustento quando ele encontra na nossa vida um propósito firme e de fé confiável.

A fé nos faz abrir a boca para abençoar, e não amontoar frases de ignorantes. É preciso se manter firme e determinar com muita certeza o que já foi alcançado, pois todas as nossas orações estão sendo ouvidas, e Deus está somente esperando a nossa mudança na entrega total de uma vida reta na presença dele. A Palavra de Deus é verdadeira, e só ela pode transformar a rebeldia do mal.

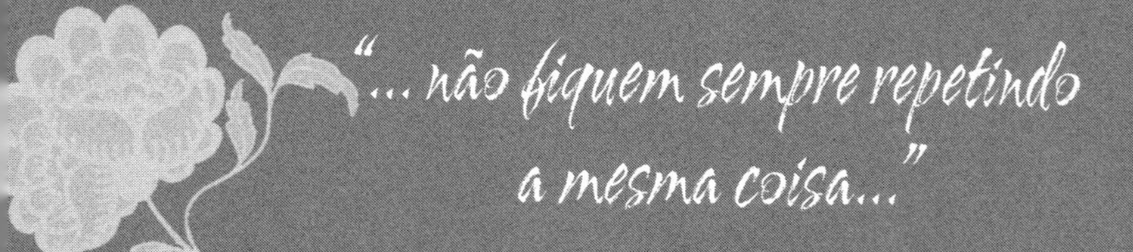

Como orar

Marilene Cardozo

"E eu farei o que vocês pedirem em meu nome, para que o Pai seja glorificado no Filho" (João 14:13).

Muitas vezes ficamos pedindo o que desejamos a Deus por um tempo muito grande sem obtermos a resposta, e isso pode estar acontecendo porque não estamos orando da maneira correta. Na passagem bíblica acima entendemos que nada que pedirmos a Deus ficará sem resposta quando usarmos o nome de Jesus como nosso Intercessor.

O nome de Jesus é a chave que abre as portas de todas as situações difíceis e aparentemente impossíveis que aparecem em nosso caminho. Por isso devemos orar como ele nos ensinou. Uma corda fina pode ser facilmente arrebentada, mas se unirmos suas pontas, dobrando por várias vezes, ela se tornará muito mais forte e dificilmente arrebentará.

Assim somos nós, *Mães em Oração*. Juntas, nossa oração se torna muito mais forte e dificilmente alguma coisa poderá nos fazer desistir, pois quando uma se achar fraca, sempre haverá outras mães que, mesmo a distância, estarão orando por ela e por seus filhos. Não existe nenhuma arma mais poderosa que a oração, e quando a usamos da maneira correta, somente temos resultados positivos.

Vamos continuar com nossa corrente de oração, orando juntas todos os dias e chamando a atenção de Deus para a nossa vida, para nossos filhos e toda a nossa família. Juntas e em nome de Jesus, nossa oração tem muito mais poder e terá sempre resultado.

Como usar a fé

Isis Regina

Mães que estão enfrentando graves problemas com seus filhos e já não sabem mais o que fazer pedem para orarmos também por eles. Mesmo em poucas palavras, observamos um cansaço, uma dor na alma. Quando entregamos os nossos filhos nas mãos de Deus pela fé e confiamos, podemos descansar porque Deus age na vida de quem crê.

Então você pergunta: "Como descansar vendo o sofrimento do meu filho?" A fé não é uma emoção. Se fosse assim, seria passageira e não se poderia esperar através dela. A fé não é um sentimento, mas é a convicção de fatos que não se veem. É por intermédio dessa fé que podemos descansar, mesmo em meio a muitas lutas, porque cremos que Deus é fiel e ouve a nossa oração.

Nessa confiança, longe de emoções e sentimentos, você ora, determina e descansa nos braços de Deus, agindo com sabedoria, permitindo-se ser uma mãe que atrairá a atenção de seus filhos por essa determinação. Logo seus filhos dirão: "Obrigada, mãe, por orar por mim."

Fique firme nessa fé.

Usando a fé

Isis Regina

Quando oramos, manifestamos a nossa fé com a certeza da resposta às nossas orações. Quando as coisas não acontecem prontamente, a situação difícil se arrasta, a resposta demora, o cansaço e o desânimo querem tomar conta do coração. Isso é sinal de perigo. As emoções e os sentimentos fazem você se desesperar e lamentar no momento em que é necessário lutar. A oração que obtém resposta é aquela que se faz com fé; você crê e pronto.

Nós, mães, pelo amor incondicional que temos pelos filhos, temos de saber usar a fé para obter o poder da oração. "Haverá mãe que possa esquecer seu bebê que ainda mama e não ter compaixão do filho que gerou? Embora ela possa esquecê-lo, eu não me esquecerei de você!" (Isaías 49:15). Essa é uma promessa de Deus para quem crê, e as mães em oração são mulheres que creem, que não fogem da luta, mães que não aceitam ver seus filhos sofrendo de maneira alguma, por isso oram, confiam a vida deles nas mãos de Deus.

"Ora, a fé é a certeza daquilo que esperamos e a prova das coisas que não vemos" (Hebreus 11:1). Não duvide jamais! Prossiga em frente, determinando o que espera ver na vida de seu filho. Essa realidade que desagrada você, seja ela em qualquer área da vida de seu filho, é uma mentira plantada pelo mal, porque a verdade é a certeza, a convicção que você tem do que já aconteceu pela sua fé.

Ore, clame. Determine a vitória que você espera, em que você crê. Se já pode ver o que crê com os olhos da fé, não chore mais. Sorria, pise nessa afronta que tenta roubar a sua alegria, contradizer a sua esperança. Diga: "Eu já venci! Eu creio!" Viva seus dias na certeza dessa vitória. Quando menos esperar, verá o milagre nascer. As guerras, as lutas são porque você está em trabalho de parto, são as contrações que antecedem o nascimento daquilo que você espera.

Que Deus abençoe você, mãe, que luta, que não desiste e crê no poder da oração. A vitória é certa!

Livre-se das infiltrações

Isis Regina

Muitas pessoas questionam o fato de orar por outras pessoas e elas serem abençoadas, e, quando oram por suas vidas, não conseguirem ser prontamente atendidas nas suas súplicas. Como mães, cuidamos de nossa casa, administramos nosso lar e sabemos que, para preservar os utensílios da casa, temos de manter tudo devidamente limpo e em ordem. No entanto, mesmo com os devidos cuidados, muitas vezes somos surpreendidas por um inconveniente muito desagradável, como uma infiltração, que pode causar terríveis danos.

As infiltrações começam pequenas, sem causar grandes danos mas se prontamente não resolvemos esse problema, e deixamos para depois, quando menos se espera, a infiltração se torna gigantesca, causando danos não só visualmente, mas também aos utensílios próximos a ela e até mesmo às pessoas.

Da mesma forma, no que se refere aos sentimentos do coração, existem problemas como as infiltrações. Sem perceber, sentimentos nocivos à fé e à sua autoestima entram como flechas em seu coração, e você os vai levando como se não existissem, porque não incomodam. Mas eles estão lá. No entanto, uma pequena infiltração em nosso coração é capaz de causar terríveis danos se não for prontamente reparada.

Não é assim? Quando detectamos uma infiltração em nossa casa e queremos eliminá-la, chamamos um profissional que verifica primeiro o lugar onde ela se originou, para poder eliminá-la definitivamente, evitando novos danos. Somente depois de consertar a causa do problema é que são feitos os reparos externos.

Por isso quando você usa a sua fé para orar por alguém e logo obtém as respostas, mas com você não acontece o mesmo, a resposta está nas infiltrações do seu coração que geralmente não são tratadas com o reconhecimento da gravidade que realmente representam. Quando oramos por outras pessoas que não estão ligadas diretamente ao convívio pessoal, aos relacionamentos, a fé é depositada em Deus plenamente porque está totalmente livre de sentimentos. Mas quando oramos pelas pessoas que amamos, que fazem parte de nossa vida, ou por nós mesmas, se não tomarmos cuidado, corremos o risco de deixar que a fé seja neutralizada pelos sentimentos pessoais, pelas emoções, que são como as infiltrações. Primeiro devemos resolver a raiz do problema, e depois o conserto poderá ser visto por fora, e com uma constante manutenção para que não haja novas infiltrações.

Há alguma infiltração no seu coração? Livre-se dela resolvendo o problema pela raiz, pois quando existe um alvo maior, há a necessidade de se sacrificar por ele, e esse sacrifício pode significar ter de tomar uma atitude para reparar toda infiltração que está no seu coração. O perdão é capaz de consertar isso, mas o seu preço é a sinceridade, a renúncia e a humildade. "Então vocês clamarão a mim, virão orar a mim, e eu os ouvirei" (Jeremias 29:12).

Empenhe-se pelo que almeja e verá o resultado como triunfo para que todos possam ver em sua vida o Deus vivo ao qual você ora.

Às vezes, atrapalhamos

Claudia O. Brito

Geralmente nós, mães, tentamos impor nossos pensamentos sobre os nossos filhos, o que, para nós, parece até ser bom e certo. Mas gostaria de deixar bem claro que, apesar de eles serem filhinhos queridos, são também seres humanos que têm gostos, costumes, hábitos. São completamente diferentes de nós. Precisamos entender que a compreensão dessa diferença é muito importante, pois apesar de nossos filhos terem o mesmo DNA, tipo sanguíneo ou aparência, vemos que cada um tem a sua singularidade.

É aí que nós, mães, erramos. O filho quer ouvir um rock, uma música diferente de nosso gosto, e logo a mãe, com a voz alterada, faz dessa situação uma tremenda confusão. Os filhos ainda estão na fase das descobertas, e tudo para eles é pura curtição. Mas sabemos que tudo isso é passageiro.

Eu passei por isso, e tive a fase em que minha mãe nunca me deixava fazer nada. Tudo era motivo de um "não" bem sonoro. E no tempo das minhas filhas, antes de dizer "não", eu tinha um bom diálogo e mostrava sempre dois caminhos e suas consequências. Graças a Deus, elas sempre escolhiam o melhor caminho. E havia sempre bom entendimento entre nós.

Mas, infelizmente, sabemos que nem tudo é fácil, e às vezes as escolhas de nossos filhos são as que menos imaginamos. Essa é a roda-gigante da vida: nossos filhos precisam amadurecer, precisam saber aprender com os erros, assim como nós também aprendemos. A mãe sempre sabe o que é melhor para o filho. No entanto, se *pegarmos pesado*, sairemos perdendo.

Preste atenção se não está agindo dessa forma, fazendo de tudo um motivo para criticar seu filho ou sua filha, para fazer imposições. Se o seu filho gosta de uma música e você não, aí é que entra o lado inteligente da mãe, procurando ficar junto, valorizar o gosto dele e buscar um relacionamento de amizade.

As facilidades do mundo de fora chegam de todos os lados, e precisamos ter o nosso jeitinho especial para eliminar esses terrores que têm tentado entrar em nossa casa. A Palavra de Deus diz que a sabedoria é o princípio do saber. Saber é entender, algo que conquistamos na prática diária, por meio de um relacionamento real com Deus. É claro que, se você está passando por momentos difíceis, momentos em que não sabe como agir, saiba que podemos contar com o telefone de Deus. E vou passar o segredo para falar com ele: os dois joelhos no chão! É infalível, eu garanto!

Você quer ajuda? Então dobre os joelhos e peça a ajuda de Deus. Ele a ouvirá e você saberá entender, ouvir, ter palavras doces para seu filho. Tenha a certeza de que tudo será diferente, e você terá momentos mais felizes.

Você não irá se irritar mais, saberá compreender melhor, e o mundo dele será dividido com você. Aí, sim, poderá ajudar o seu filho. Haverá uma amizade entre você e ele. Ninguém gosta de não poder ser o que realmente é. Saiba compreender, evite que seu filho se irrite e saia batendo a porta, pois quando volta, traz com ele a bagagem cada vez mais pesada, que dificulta a sua trajetória em direção à verdade.

Sabedoria

Isis Regina

Educar um filho exige da mãe total sabedoria. Ela é cobrada como símbolo de perfeição, alguém que não pode errar. Uma tarefa difícil, não é? Mas como fazer-se entender como um ser humano que também falha, que também sonha, que também tem necessidades pessoais, quando desempenha o papel de heroína todos os dias? Mamãe pode ceder sempre, mamãe pode entender sempre. Ou então, mamãe nunca faz nada por mim, mamãe nunca me entende.

Não devemos nos colocar diante de nossos filhos como a mulher sempre certa, a perfeita, a que não mostra suas fragilidades. Na verdade, devemos nos colocar como alguém semelhante a eles, alguém que já errou, que acertou, que já percorreu o caminho e está um pouco mais à frente, por isso pode mostrar a melhor trilha e onde estão as ciladas. Devemos nos colocar como amigas, companheiras, agindo como achamos que deve se comportar um bom amigo, dando espaço para que os filhos aprendam até mesmo com os erros, confiando que tudo coopera na vida daquele que crê, que ora, que insiste, que bate à porta até que ela se abra.

Os conflitos podem existir, mas não permita que eles ofusquem a sua visão. Continue a orar, a clamar. Esse deserto que você está atravessando levará à terra aonde quer chegar. Mãe, seu filho é uma bênção porque você confiou a vida dele nas mãos de Deus. Persevere sempre, não deixe de orar.

Não posso mais esperar

Marilene Cardozo

Quando os filhos são pequenos, parecem ter a mania de ficar chamando a mãe a todo momento e para qualquer coisa, não é? É tão comum ouvir:

— Mãe, vem aqui!

A mãe, por esse costume, nem tem pressa de atender ao chamado. Muitas vezes está na cozinha preparando o jantar, o filho no quarto e a mãe só responde:

— Já vou. Estou ocupada agora, espere um pouquinho...

Mas se a mãe está na cozinha e, de repente, ouve o filho gritar bem alto do quarto: "Mããããeeeee!", então ela larga tudo o que está fazendo e vai correndo ver o que está acontecendo, pronta para fazer o que for preciso para acudir o filho imediatamente.

Comparo essas duas situações com a oração e o clamor. Existem momentos e situações que enfrentamos em que não basta a oração, pois é uma emergência, é algo que não pode mais esperar. Seu filho grita e você larga tudo o que está fazendo para atendê-lo. Deus faz o mesmo por nós quando *gritamos* por ele. O clamor chama a atenção de Deus, expressa toda a necessidade que estamos passando naquele momento.

Acreditar que as coisas são assim mesmo, que a qualquer hora uma resposta vai chegar, nem sempre é sinal de confiança. Podemos viver num comodismo, achando que estamos agindo da maneira correta, quando, na verdade, pode estar faltando apenas uma revolta contra a situação. Clamar é pedir socorro, é fazer entender que não podemos mais esperar.

Clame! Chame a atenção de Deus para sua vida, pois ele é o mais interessado em atender você e pode estar apenas esperando uma ação de sua parte.

Isis Regina, de mãe para mãe

Deus se importa com a sua dor, com o seu sofrimento. Ele deseja fazê-la feliz, mas, para isso, necessita que você creia e clame.
"Na minha angústia, clamei ao SENHOR; clamei ao meu Deus. Do seu templo ele ouviu a minha voz; o meu grito de socorro chegou aos seus ouvidos" (2Samuel 22:7).

Está prestes a nascer

Isis Regina

Tudo o que planejou aconteceu de maneira completamente diferente, e por tal motivo você desacelerou os passos. Ficou um pouco perdida, pensando: "O que será?"

De jeito nenhum! Nem sempre obtemos as respostas de nossas orações como imaginamos que vai acontecer, mas o que interessa é que vai acontecer. E sabe de uma coisa? Infinitamente maior e melhor do que foi pedido, do que foi sonhado.

Sua espera parece longa, tudo aconteceu diferente do que você pediu, então ficou desanimada? Xô, desânimo! Mães em Oração, mulheres que não se curvam diante dos males, mas lutam, reagem por meio da fé, pois sabem que o impossível se torna uma mentira diante de quem crê que para Deus não há impossíveis.

Olhe para o problema que afronta seu filho e diga: "Já era!" Com Deus no controle, não tem como dar errado. Lembra-se de quando seu filho nasceu? As contrações e as dores vieram para anunciar a chegada de seu sonho. Você teve de lutar, perseverar e depois teve seu sonho em seus braços. Mães que oram agem assim diante das dores, lutam e perseveram porque sabem que o milagre que esperam está prestes a nascer.

Nada é em vão

Claudia O. Brito

O poder da oração de uma mãe

Fui uma criança que cresceu somente com o carinho de mãe. Ainda bem jovem, encontrei o grande amor de minha vida e me casei aos dezessete anos. Logo em seguida, minha mãe faleceu. Sem experiências, tive a primeira filha, muito linda, com um ano de casada, pois engravidei meses depois do casamento. Como filha única, havia tido as orientações de minha mãe, mas sem grandes responsabilidades para cumprir. E então, de repente, tive o desafio de colocá-las em prática sozinha. Eu não sabia nem trocar as fraldinhas dela, tudo era muito difícil para mim.

Fiquei grávida novamente, nasceu outra linda menina, com diferença de apenas um ano entre as duas. Em toda a correria para dar conta de tudo, muitas noites praticamente em claro, fui surpreendida com um grave problema em minha filha caçula. Aos seis meses, notamos que ela não tinha a desenvoltura de outros bebês e a levamos ao médico. Então foi constatado um problema no cérebro, pelo qual ela estaria confinada a uma vida limitada e totalmente dependente dos outros para viver.

Apesar de toda a minha inexperiência e das dificuldades, eu tinha muita fé. Ao saber da gravidade do problema, não tive dúvidas: a fé me trouxe a plena certeza de que "para Deus não existem impossíveis". E por intermédio da oração da fé ela foi totalmente restaurada. Todo o problema que nos foi passado pelos médicos já não existia mais.

As meninas foram crescendo, e eu pedindo a Deus sabedoria para educá-las, superando os desafios de ser mãe. No dia a dia, eu me esforçava para dar conta de tudo — casa, filhos e a devida e merecida atenção ao meu amado esposo. E em todas as coisas que fazia, sempre colocava Deus em primeiro plano, pela minha aliança com ele.

Criar as meninas não foi uma tarefa fácil para mim, por isso aproveitava toda palavra de fé, toda boa orientação que recebia. Lembro-me de que, desde que as meninas eram pequenas, eu orava pedindo que Deus preparasse um homem temente a ele para elas, com bom caráter. Assim, elas cresceram com uma mãe que orava por elas, que apresentou seu maior tesouro para elas, a fé em Deus.

Lia muito para elas, contava histórias da Bíblia, estava sempre com elas como amiga, companheira. Creio que esse foi uns dos pontos positivos para que elas estivessem onde hoje estão e da maneira que estão, fazendo a diferença neste mundo, servindo a Deus com suas vidas. Realmente, viver o desafio de ser mãe ainda bem jovem não foi nada fácil, superando minhas imperfeições e mantendo sempre meus olhos em Deus para guardá-las de todo mal e abençoá-las.

Sempre orei para que Deus que me usasse, a fim de que elas vissem em minha vida um referencial. Nunca fui perfeita, muitas vezes o cansaço, de tão grande, chegava a me estressar, mas a fé sempre foi algo muito presente em nossa família, e com ela nos mantivemos unidos, vencendo todos os desafios. Hoje louvo e agradeço a Deus pelos sacrifícios e pelo sucesso por meio dessa fé positiva. Tenho 46 anos, a primeira filha tem 27 e a mais jovem, 26 anos. Elas servem a Deus com toda a força e coragem que lhes foi passada pelo pai e por minha vida também. Com sacrifícios, lutamos e vencemos.

Minha filha Priscila está em Londres juntamente com o seu querido esposo, e Patricia vive no Canadá, também ajudando seu querido esposo. Elas fazem a diferença neste mundo tão cruel. Quando me lembro das dificuldades por que passei, das lágrimas que derramei, olho para o céu e agradeço.

Querida mãe, com a mesma intensidade dessa fé, digo a você que nada é em vão. Mesmo as dificuldades podem ser transformadas em diamantes preciosos se usarmos a nossa fé. Não importa a condição em que seus filhos estejam, mesmo que perdidos neste mundo, saiba que nada fica no esquecimento de Deus. Ele tudo vê. Muito em breve você terá uma grande alegria ao ver toda a sua casa nas mãos de Deus. Se você crer, então assim será.

Cuidado com as palavras

Marilene Cardozo

Lembra as coisas que sua mãe falava quando você era pequena? Sentados à mesa para o almoço, um amigo começa a recordar sua infância. Suas lágrimas não foram contidas quando se lembrou de que, sentados em volta ao fogão a lenha que havia em sua casa, enquanto a mãe preparava seu jantar, ele e seus irmãos a ouviam contar experiências vividas, alertá-los sobre as ciladas da vida e aconselhá-los sobre as coisas pelas quais poderiam passar e como deveriam reagir diante de cada situação.

Ele dizia que o lugar da casa de que mais gostava era a cozinha, junto ao fogão a lenha, pois era onde podia ouvir os conselhos mas valiosos de sua vida, dados por uma mulher sem conhecimentos intelectuais, mas cheia de amor e cuidado por pequenas vidas que teriam nela um exemplo bom ou ruim a seguir. Tudo o que sua mãe lhes disse ficou marcado em seu coração, e nos momentos mais difíceis, acendiam em sua memória palavras cheias de sabedoria que o ajudaram a tomar as decisões mais corretas.

Entre vários papéis e funções, a mãe também é conselheira, e acredito que essa é uma das maiores responsabilidades, pois nossa memória é como um computador que armazena informações para toda a vida. A palavra, depois de proferida, não volta atrás, e, às vezes, movidas por um impulso, dizemos palavras amargas, como: "Você não tem jeito, mesmo"; "Não te aguento mais"; "Desisto de você"; "Você é inútil"; etc. Imagine como é ouvir de uma pessoa que admiramos palavras assim. É um bloqueio que pode se instalar eternamente na vida de uma pessoa, e somente por meio da oração poderá ser arrancado.

A mãe tem autoridade sobre os filhos, e essa autoridade deve ser usada com muita sabedoria, com temor, sabendo que pode abençoá-los ou amaldiçoá-los somente com uma simples palavra. Acreditar naquilo que desejamos para os filhos é confessar com nossos lábios, ainda que nossos olhos não estejam vendo, mas a fé nos leva a ter certeza da materialização do que cremos.

Dificilmente são apagadas da memória de um filho as palavras duras de sua mãe; mas as palavras de incentivo de confiança e de fé jamais são esquecidas. Não podem ser apagadas nunca. Deixe suas palavras serem usadas para abençoar. Acredite naquilo que você espera, ainda que pareça estar muito longe de acontecer. Não deixe que suas palavras retardem aquilo que Deus já entregou em suas mãos. Abençoe seus filhos todos os dias, e então você verá o poder de sua oração.

Isis Regina, de mãe para mãe

"O homem bom tira coisas boas do bom tesouro que está em seu coração, e o homem mau tira coisas más do mal que está em seu coração, porque a sua boca fala do que está cheio o coração" (Lucas 6:45).
Por que o homem retira as palavras do coração, e não da mente? Porque, quando usamos a nossa inteligência e pensamos, não falamos desnecessariamente. Nós refletimos sobre o que (e quando) falamos. Se usamos a nossa fé para orar, para falar com Deus, e nessa fé determinamos as bênçãos para a vida de nossos filhos, como podemos falar com eles ao contrário do que pedimos em oração?
Cuidemos de nossas palavras para que elas testifiquem as nossas orações.

Foram sete anos...

Isis Regina

Tivemos a oportunidade de conversar com um rapaz que, ao contar sua trajetória de vida, fez, pela primeira vez um cálculo do tempo que fez sua mãe sofrer. Sua mãe *indesistível* havia transformado cada dia dessa batalha em menos um dia de sofrimento na certeza que havia dentro de si de que alcançaria o milagre por intermédio do poder da oração, e assim perseverou fielmente, orando por ele durante sete anos. Ao fazer a soma e chegar ao resultado de sete anos, ele pensou em voz alta: "Sete anos... muito tempo! Minha mãe não desistiu de orar por mim."

Esses longos sete anos, que trouxeram uma reflexão pausada para o rapaz, fizeram-me refletir que nós, mães, não podemos aceitar tudo como se fosse normal, pensando: "É só uma fase." Não tivemos filhos para vivermos como se estivéssemos no meio de uma guerra dentro da própria casa. Quando são pequeninos, tudo é muito mais fácil. Eles repetem o que ensinamos, estão onde estamos, mas quando crescem, precisam passar por experiências próprias. No entanto, sem que percebam, ao passarem por essas experiências, que são os resultados de suas escolhas, eles acabam descarregando todas as emoções, frustrações e ilusões em seus pais, especialmente nas mães, como se a mãe fosse culpada por tudo. Só uma mãe sabe o quanto é difícil receber uma palavra dura, uma resposta fria de alguém que amamos de maneira imensurável. Que mãe esteve livre de um gesto assim?

Da mesma forma que esse rapaz admitiu que fez sua mãe sofrer muito (embora nunca fosse realmente o seu querer), muitos filhos têm ferido o coração de suas mães, aparentemente conscientes dessa atitude.

Mas afirmo que eles, de fato, não têm consciência do que fazem, pois se tivessem, não o fariam mais. Afinal, não fizemos o mesmo com as nossas mães? Nem tínhamos noção do que estávamos fazendo, não é mesmo?

O que nós, mães, temos de fazer quando um filho se encontra em uma situação difícil? Precisamos de uma atitude simples, permanecendo ao lado dele, não saindo de perto, mesmo que não concordemos com o que ele(a) está fazendo. Fique ao lado de seu filho, sobretudo em oração. Não é necessário falar, reclamar — apenas dialogar quando, com sabedoria, entender que é o momento de plantar as sementes do que se espera. Logo chegará o dia em que a visão dele(a) se ampliará, e aí as palavras de amor apagarão anos de dores e tristezas, transformados em dias de alegria, de volta ao lar, ao aconchego da família restaurada por meio de sua oração. Junto com nossas orações, ela forma uma corrente de fé capaz de quebrar as algemas do mal e resgatar a verdadeira paz.

Quando um filho grita, ele quer dizer: "Mãe, me ame ainda mais."

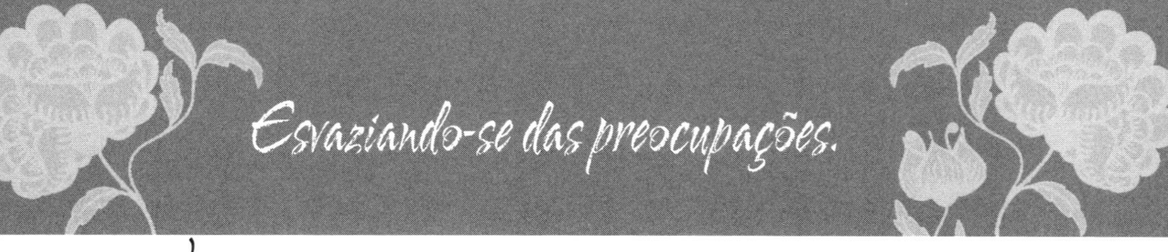

Vencendo os pensamentos negativos

Carlinda Tinôco

O centro de tudo é a nossa fé. Quanto mais nos voltamos para Deus, mais força encontramos. Não podemos nos deixar desanimar pelas afrontas que muitas vezes tentam afogar a esperança. As lutas dos pensamentos são constantes, e centrar nossas emoções naquilo que nos decepciona é não permitir ver o que já foi derrotado. O acusador vai sempre buscar uma oportunidade imaginária para nos deixar inseguras, tomando atitudes precipitadas e decepcionantes quando a situação já deixou de existir.

Isso é não vigiar, é falta de confiança quando já determinamos uma mudança por meio das orações. Temos de encarar os momentos difíceis como recomeço e nunca desistir. Os filhos são a continuidade do bem que vamos alcançar, pois sempre desejamos que eles sejam melhores que nós. Não importa o problema, não importa quantas vezes tenhamos de começar, mãe é um presente de Deus, é força que jamais se acaba. Quando se coloca toda a confiança no Pai, com certeza a transformação chega.

A oração é o elo com Deus, é o espaço que encontramos para abrir nosso coração e expressar o mais íntimo de nosso ser, é onde entregamos tudo e nos esvaziamos de tudo que nos traz preocupações. Por isso, mãe, a união fortalece as mãos. Não devemos nos atormentar, mesmo quando somos afrontadas por atitudes que não esperamos. Os caminhos de Deus não são os nossos caminhos, mas ele permanece fiel para cuidar e mudar a história de nossos filhos. Podemos, sim, confiar, pois Deus é a nossa fonte de respostas.

Beijinho de mãe

Isis Regina

— Manhê, *tá* doendo, a *frumiginha* me mordeu!

— Hum, que formiguinha feia! Deixe a mamãe dar um beijinho que passa. Passou, meu bebê?

— Passou, mamãe.

E não é que passa mesmo? Quantas vezes corremos para os braços de nossa mãe à procura de um beijinho, um abraço, um colinho, uma sopinha, um bolinho, um cafezinho para aliviar os problemas? Mãe tem esse poder extraordinário chamado fé, que de tão grandiosa é capaz de aliviar machucados com um simples beijinho. Assim secamos lágrimas e lágrimas de nossos bebês.

Quando maiores, os grandes bebês continuam a procurar as mães da mesma forma, e mesmo os que parecem ser mais fortões não resistem à doce voz de uma mãe que pronuncia as palavras: "O que houve, filhinho?" Logo ouvimos como resposta a voz embargada que tenta dissimular a dor saltando de um coração em pedaços. Nesse momento, a mãe se aproxima com um abraço quentinho e ali é injetada a esperança de que tudo vai passar e dar certo.

Por isso, como as águias, temos de observar sempre o voo de nossos filhos, prontas para ampará-los e protegê-los por intermédio de nossas orações. Devemos usar a grandeza desse poder que é capaz de, com um simples beijinho, curar feridas. Precisamos nos manter em oração para ajudar nossos filhos a chegar ao lugar dos sonhos de Deus para eles. Somente Deus sabe o que é melhor para cada um de nós.

Nessa fé tão simples e gigantesca, tão carinhosa, mas também forte e poderosa, vamos orar. Problemas podem tentar fazer com que sua fé pereça, circunstâncias que acontecem para ferir seu coração e até mesmo impedir a eficácia de sua oração, mas pela fé é só ir em frente, olhando somente para onde seu alvo está. A oração é a chave que abre a porta das promessas de Deus para serem derramadas sobre a nossa vida.

Aproximar sem sufocar

Isis Regina

Os filhos sempre buscam nos pais, e especialmente na mãe, compreensão; mas, por obterem a repreensão no lugar da compreensão, acabam se afastando. Embora isso seja um fato comum no relacionamento de mães e filhos, isso não quer dizer que devemos deixá-los fazer o que quiserem sempre, sem que jamais os repreendamos.

Quando pequenos, nós os ensinamos com o "sim" e o "não". Procuramos educá-los para serem felizes. E aí, muitas vezes por tamanho cuidado, estabelecemos regras e regras. Quando eles começam a crescer e já emitem opinião própria, queremos continuar da mesma forma, como se fossem bebezinhos. Preocupadas em exercer o papel de mãe como educadora, sem perceber nos tornamos verdadeiras ditadoras.

O cotidiano e o caos em que o mundo se encontra apavoram qualquer mãe que tem como desafio criar um filho e formá-lo uma pessoa bem-sucedida em todas as áreas de sua vida. Entretanto, a melhor forma de ajudar nossos filhos é fazer com que vejam em nós aquilo que desejamos ver na vida deles. Nosso relacionamento com eles é muito importante para que possamos auxiliá-los a serem bem-sucedidos, e todo sucesso começa de dentro para fora.

Sendo assim, devemos sempre nos aproximar deles, mas não sufocá-los. Acredite: algumas vezes, como mãe, achei que estava me aproximando de minha filha, como se fosse a melhor amiga, mas estava, na verdade, sufocando-a. Não conseguia deixar de colocar minha opinião com uma certa imposição, tipo "a voz da experiência". Não foi ela quem me disse isso, mas, com o tempo, eu mesmo fui despertada a dar liberdade para Deus agir na minha vida e, consequentemente, agir também na vida de minha filha.

Nós, mães, temos de dar espaço algumas vezes e aprender a ser ouvintes. O silêncio fala muito mais alto que muitas palavras. É exatamente como procedemos com nossas amizades. Em uma amizade existem afinidades, mas também diferenças de opiniões, gostos... e mesmo assim, mantemos a amizade, não é? Como? Sabendo ouvir, sabendo o momento certo de falar, de ficarmos próximas, mas sem sufocar. Não impomos à amiga aquilo que queremos, mas uma se une à outra, valorizando as virtudes, perdoando defeitos. Assim, nós nos tornamos pessoas tão queridas pelas amigas que uma e outra se esforçam para viver sempre em harmonia.

Quando se trata de filhos, porém, é muito difícil porque mães algumas vezes podem se achar as donas da razão. Mandar é fácil, mas ser exemplo e amar ao ponto de cativar no filho um amigo querido é um desafio diário exercido por fé. Temos de sobrepujar os sentimentos ruins e confiar sempre, sendo humildes para entender que não é do nosso jeito, mas do jeito de Deus. Uma vez que confiamos nossos filhos em suas mãos, jamais seremos frustradas em nossa confiança.

Ser amigas de nossos filhos é muito bom, e nossos filhos nos terem como amigas é maravilhoso! Experimente ser amiga de seu filho assim como é de outras pessoas. Pode ser que esse seja o primeiro passo para a revolução que busca acontecer em sua casa. Isso é um desafio? Fé é vencer os desafios, é não fugir do sacrifício, é orar e agir pela direção de Deus, é jamais desistir até o seu jardim florir.

Vestida de mansidão

Marilene Silva

A mansidão e a tranquilidade durante a espera da resposta de nossas orações, principalmente quando essa espera é longa, são indispensáveis como instrumentos que nos levarão ao que desejamos conquistar. No entanto, manter-se serena durante as adversidades e lutar em espírito somente é possível por meio de uma fé viva e inteligente. Fé capaz de nos blindar de nossa gigantesca fragilidade devido aos nossos sentimentos como mães. Como mãe e mulher de fé, sei disso muito bem.

Sempre converso com mães que se veem desanimadas, tentadas até mesmo a desistir de lutar pela mudança na vida dos filhos porque, a despeito de já estarem orando há algum tempo, é como se as orações não estivessem sendo ouvidas.

O que ocorre, na realidade, é que, durante esse período de demora na resposta, está sendo travada uma luta renhida entre o bem e o mal, provocada pelas nossas orações em favor dos filhos. Por meio das orações das mães, Deus vai agindo na mente dos filhos, mudando os seus conceitos e mostrando o caminho reto a ser seguido. Em contrapartida, o mal, não se conformando com a mudança de pensamento da pessoa que ele ainda domina, procura confundir a sua mente.

Essa é a razão pela qual a pessoa muitas vezes nos surpreende com atitudes antagônicas: num momento ela está calma, tranquila, agindo de forma correta, e no outro encontra-se agressiva, fazendo uso até mesmo de palavras de baixo calão, enfim, sendo desagradável a todos.

Diante de situações como essa, não devemos aceitar as provocações. No entanto, precisamos lutar por meio da fé, praticando a Palavra de Deus. Por isso mesmo, precisamos nos trajar de um espírito manso, tranquilo, que é de grande valor perante Deus.

Não podemos subestimar o poder de nossas orações; ao contrário, devemos orar sem cessar, pois nossas orações são as armas mais potentes do universo para atacar e destruir o mal que age na vida de nossos filhos.

Os filhos têm de ver em nós a imagem do nosso Deus. A mãe deve ser paciente, perseverante, amiga de todas as horas, tendo sempre uma palavra de sabedoria. Precisamos fazer a nossa parte. Assim como nós contamos com Deus, ele também conta conosco.

Isis Regina, de mãe para mãe

Estar vestida de mansidão, ter sábias palavras, perseverar sempre não são coisas impossíveis, que não possamos fazer. Deus não nos pede nada além do que não podemos fazer porque ele mesmo nos capacita para cumprirmos a sua Palavra. A fé é o canal que possibilita isso. Podemos, pela fé, nos tornar imagem e semelhança de Deus e deixar que nossos filhos o conheçam pelo exemplo de nossa vida.

Mas, geralmente, é justamente nessa espera que muitas mães vão se tornando amargas. É como se essa espera fosse um chá muito amargo que tem de ser tomado todos os dias. Assim, elas também vão se tornando amargas ao ponto de se tornarem presença não agradável, não só para os filhos, mas também para a família, os amigos. Desse modo, acabam sendo isoladas não pelos problemas que estão enfrentando, mas pela maneira como enfrentam esses problemas.

Essa demora da resposta não teria uma justificativa óbvia? Como está a sua fé nessa espera?

"Desde o ventre materno dependo de ti; tu me sustentaste desde as entranhas de minha mãe. Eu sempre te louvarei!" (Salmos 71:6).

A dupla gravidez de meus filhos

Lorena Sebastian

O poder da oração de uma mãe

Depois de quase 21 anos de relacionamento, entre namoro e casamento, um lindo casal com um futuro promissor pela frente e três filhos saudáveis, inteligentes e fofíssimos teve seu castelo destruído por completo. Sofrendo muito, encontrei finalmente um Deus que tudo pode, que me aceitou com amor e de imediato restaurou-me a saúde física e mental, curou minhas feridas e mudou o meu ser.

Assim, sem ninguém, com a família e os parentes indignados pela minha escolha de uma nova vida — vida eterna, diga-se de passagem —, mas com as forças renovadas, segurei em sua mão, que me sustentou num dos piores momentos de minha existência: a longa separação dos meus três filhotes. A dor de um aborto vivo, pois me foi tirada injustamente a condição de criar meus filhos. Uma vida inteira para reconstruir, e depressa, pois precisava tê-los de volta com urgência.

Morei de favor com uma pessoa muito amiga, sentindo a dor da separação, uma tristeza profunda de saber que meus filhos estavam com pessoas que nada tinham a ver com meus princípios. Tê-los de volta em casa era mais que um sonho: era uma necessidade. A alma deles estava em risco iminente devido à situação, na qual foram estimulados a me odiar.

Comecei a grande luta. Usei todas as minhas forças para ter de novo uma casa e formar o meu novo lar. Com a certeza de que Deus me devolveria meus filhos, engravidei dos três novamente, mas dessa vez, na fé. Além de sustentá-los em tudo materialmente, tentava visitá-los todas as noites. Afinal, eu não os havia abandonado. Mas com toda a crueldade que o mal pode exercer, eu era impedida de subir ao apartamento. O porteiro tinha ordem expressa para não me deixar entrar. Ou, sabendo que estava indo vê-los, quando eu chegava, eles tinham acabado de sair. Telefonar era impossível, e todo acesso foi cortado. Corria para a saída do colégio, mas lá, já contaminados com falsas informações, tudo o que ouvia deles era: "Saia daqui, sua vagabunda!"

Doloroso demais para uma mãe tão zelosa e cheia de amor pelos filhos. Como uma leoa que luta por seus filhotes, nada me fazia desistir, pois estava em mim a fé viva. Aliada ao Senhor de todos os exércitos, sabia que ia vencer.

Aprendendo e praticando a fé com inteligência e sabedoria, fui vendo os resultados a médio e longo prazo. Todos os dias, deixava na secretaria do colégio o lanche que consagrava a Deus. Assim, colocando a fé em ação continuamente após longos oito meses, os sinais começaram a aparecer.

Mariana, temendo ser levada para outro estado sem que eu soubesse, saiu escondida e me ligou, relatando o que acontecia e os planos que eu desconhecia. Contou-me também que, na tentativa de tirar a guarda de mim, eram orientados (com ajuda de um advogado da família) a contar os motivos pelos quais não queriam morar comigo. Uma desumana pressão psicológica que acarretou muitos problemas na adolescência deles. Fiz dela minha informante, e eles a tiveram como delatora. O mal investiu pesado contra ela por causa disso, e bem esmagada e machucada, não suportando mais, pediu socorro e voltou para casa. Faltavam Carol e Lucas.

Então, dois anos se passaram. Carol, a primeira filha, portanto a que me ensinou a ser mãe, por demais contaminada e machucada por muitos enganos, adolescente de doze anos, aberta para o mundo e com total apoio de todos, achando-me chata e careta, acabou ficando por lá e não querendo de forma nenhuma a minha presença. Quando nos víamos, só havia brigas, um ódio mortal à minha pessoa. De longe, acompanhava seus passos pelos caminhos mais incertos. Amizades erradas, baladas, namorados, viagens, festas, noites com bebidas, excesso de independência e, por vezes, uso de drogas. Meu doce bebê se perdendo por causa das más escolhas.

Intensifiquei minhas orações em prol daquela filha tão querida, tão amada! Já não suportava mais ficar sem ela. Passaram-se quase seis anos. Ela já tinha quase dezoito! Era uma adulta, e fomos privadas de períodos e etapas fundamentais na vida de um filho. Era muito duro ver minha filha se perdendo. A doce menina, responsável, excelente pessoa, aplicada em tudo, de um coração bondoso, prestativa, amorosa... odiando-me e até avançando para me agredir. Era um mal, e eu, por causa do meu coração, não estava conseguindo vencê-lo. Sofria muito e não conseguia entregar de fato a pessoa dela inteirinha nas mãos de Deus.

Soube, pelos irmãos, que ela ficava muito só, às vezes até por muitos dias; que estava fazendo terapia, usando medicações alternativas; com muita tristeza, angústia e depressão, sentia desejo até de morrer. Vi o mesmo mal que um dia quase me matou agora tentando fazer o mesmo com ela.

Corri para o altar da igreja e, como Ana, fiz um voto a Deus, entregando Carol em suas mãos. Após três meses exatos desse dia, à meia-noite e meia de um domingo, acordei com um telefonema. Era Carol dizendo: "Mãe, estava vendo TV e vi uma propaganda com a família sentada em volta da mesa no café da manhã, e a mãe sorria como você. Então me lembrei da gente, de nossa casa, e estou morrendo de saudade. Posso visitar você?"

Quase morri de tanta felicidade! Combinei de pegá-la bem cedo no dia seguinte. Mal podia esperar por aquela hora. Nem dormi mais, agradecendo a Deus por ter quebrantado aquele coração. E de uma forma tão inesperada como só ele sabe fazer. Preparei-me e orei para que aquele momento fosse o do resgate e eu não perdesse a oportunidade com o meu sentimento ou atitudes erradas.

Fui buscá-la. Era o nosso momento. Nosso reencontro foi lindo! Conversamos como amigas que não se viam havia muito tempo, e Deus me deu sabedoria para que eu não estragasse o milagre que ele estava fazendo naquela alma tão necessitada de salvação, de amor e de vida.

Preparei um almoço bem legal com um de seus pratos preferidos, e em casa, com todos juntos, minha felicidade se completou... que alívio! Depois de quase oito anos de luta, estava reunida com meus três filhos.

Propus a ela fazer uma experiência e morar conosco, como se fosse um intercâmbio. Se ela não quisesse ou não gostasse, poderia voltar. Carol aceitou, a princípio receosa, mas em poucos dias, de todo o seu coração, veio com todas as malas e ficou com a gente. Então comecei a orientá-la, garantindo que, se ela se sujeitasse à direção certa, teria uma vida feliz. Ela topou com sinceridade, sem questionar. E eu, sem mandar, mas apenas sugerindo, mostrei o resultado das escolhas pelos dois caminhos, deixando sempre que a decisão final fosse dela.

Uma noite, ela pediu que a buscasse às seis da manhã em uma balada. Antes de ela sair, ungi a cabeça dela com óleo e falei com Deus que não aceitava mais aquilo. Quando fui buscá-la, ela me disse que não sabia o que tinha ido fazer lá e nunca mais voltou. Em poucos meses, era outra pessoa. Deixou de lado amizades erradas, adotou um novo visual, ficou mais bonita e aceitou participar das correntes de oração conosco. Encontrou a verdadeira paz e felicidade.

Entrou na faculdade e, trabalhando comigo na empresa, lado a lado, tornou-se o braço direito na administração. Confiei minha filha nas mãos de Deus e deixei-a à vontade. Todos lucramos com isso. Sempre juntas, abraçadas, demos muitas risadas e nos tornamos unidas em tudo, amigas e vencedoras. Hoje Carol é mulher de fé, casada e feliz. E eu ganhei mais um filho querido por causa de seu casamento, um genro que é uma bênção para as nossas vidas.

Quando gerei meus filhos em oração, pela fé, reconstruí minha família, e o que era dor se transformou em alegria. Sou uma mãe em oração porque sei que o poder de Deus pode transformar a mente e a vida de nossos filhos, tornando-os pessoas livres e maravilhosas por intermédio de nossa fé.

Eu não tinha esse sorriso

Mariana Sebastian

A rejeição, as piadas, os problemas de saúde e psicológicos começaram logo cedo. Como nasci um pouquinho diferente e não muito bonita, nem todos queriam me pegar no colo. Logo nas primeiras semanas, comecei a ter as primeiras doenças, e as enfermidades me acompanharam até o início de minha adolescência. Também apresentei algumas dificuldades físicas que, aos olhos de muitos, e até de minha família, eram um prato cheio para piadas, o que me magoava muito e me fazia insegura para estar junto das pessoas.

Já tive desejo de morrer. Por volta de quatro anos de idade, comecei a ter depressão e desejo de suicídio, além de ser extremamente temperamental e sensível. Minha autoestima era muito baixa. Eu acreditava que era a garota mais feia, a pessoa menos merecedora e que ninguém me dava valor. Tudo o que eu pegava na mão quebrava, e por isso, em casa, um dos meus apelidos era "mão de manteiga".

Por coisas desse tipo, achava que todo o azar do mundo estava em mim e que eu não daria certo em nada. Era briguenta, marrenta, respondona, não importava se a outra pessoa fosse mais velha, mais nova, homem, mulher — se me deixasse nervosa, eu ia para cima e, às vezes, até saía no tapa. Mesmo que minha família fosse estruturada e tivesse uma condição financeira excelente, eu era extremamente infeliz, insatisfeita e vazia.

Com o tempo, passei a ter pesadelos e, logo depois, insônia. Ouvia vozes e via vultos. Tinha prazer nas contendas. Além desses problemas, ainda semeava brigas entre meus familiares, punha um contra o outro com mentiras, e assim um sempre estava brigando com o outro. Era uma pessoa ruim, sabia que estava mentindo, sabia que a culpa era minha, sabia que estava magoando e sendo injusta com meus pais e meus irmãos, mas não me importava e continuava nesse caminho.

Certa vez, fiz minha mãe demitir uma moça que trabalhava em casa, acusando-a de roubo. Eu vi a mulher chorando, arrasada, sabia que era mentira, mas afirmei para a minha mãe, na frente dela, que era culpada. Eu a vi ir embora desconsolada e não fiz nada. Odiava a natureza, tinha prazer em destruí-la — o jardim de minha avó que o diga. Vivia fechada num mundo só meu, que criei em minha mente.

Apesar de tudo isso, amava minha mãe. Ela sempre estava lá para mim e me fazia sentir especial, amada, cuidada, linda como uma princesa. Ela era meu refúgio, nunca fez uma piada das minhas deficiências nem deixou de acreditar em mim. Era o motivo pelo qual eu levantava todas as manhãs. Até que, por problemas muito sérios, minha família se dissolveu e fui morar com meu pai, porque minha mãe ficou sem condições financeiras de ficar comigo. Aquilo me fez acreditar, assumir dentro de mim que ela tinha me abandonado, desistido de mim, que não me queria mais, que eu era um problema para ela, e isso me trouxe uma decepção e uma mágoa que de tão profundas chegavam a tirar meu ar.

Senti-me desprotegida, sozinha, e com o tempo aquele amor que eu sentia por ela se transformou em um ódio mortal. Em nossos encontros, eu fazia questão de dizer a ela que a odiava, que não a respeitava; eu a humilhava, xingava, desprezava e dizia que era a pior mãe e a pior pessoa no planeta Terra. Todas as vezes que estávamos juntas, eram brigas e mais brigas, e eu ia me afundando cada vez mais na depressão, na mágoa e no ódio que sentia. Os problemas só aumentavam para mim.

Conforme crescia, surgiam outros problemas. Na escola, tinha dificuldade de aprender, de me relacionar e ser aceita, e isso piorou ainda mais meu estado. Até que desisti de mim, engordei demais, parei de me arrumar, não quis mais me cuidar e achava que eu não tinha nenhum valor, que ninguém me amava, que eu era a criatura mais horrível do mundo, que ninguém me enxergava. Perdi a capacidade de sorrir. O mau humor, a agressividade, a grosseria, os conflitos e o nervosismo eram constantes em mim.

Mas tinha alguém que me via como um diamante raro de altíssimo valor, que me via como um grande presente de Deus e que nunca deixou de orar por mim um dia sequer. Mesmo com a situação piorando, ela estava sempre de joelhos pedindo a meu favor. Cheguei a tentar agredir minha mãe, até que um dia, em uma briga, comecei a gritar, a xingar minha mãe de palavrões enquanto dizia o quanto a odiava, e fui ficando tão nervosa que me descontrolei: fui para cima dela com o punho fechado, para dar um soco. Naquela hora ela segurou a minha mão e olhou dentro dos meus olhos, passando uma energia que me fez ver o meu estado, a que ponto tinha chegado e no que tinha me tornado.

Fiquei chocada quando me enxerguei, e algumas horas depois pedi ajuda a ela. Ouvi tudo o que ela disse e escolhi obedecer, e ela começou a colher os frutos das orações que fizera por mim. As raízes ruins foram arrancadas. Aos poucos, fui mudando. Liberta da depressão, das opressões, parei de ouvir vozes e ver vultos. Fui curada das doenças, liberta da agressividade, do nervosismo, da mágoa (consegui entendê-la e perdoá-la), do ódio que sentia por e pelos outros, dos meus conflitos e complexos. Eu me perdoei de todo o mal que havia feito porque, pela fé, encontrei a razão de viver. Passei a me aceitar, a me amar. As flores surgiram e colhemos os bons frutos.

A partir daí, consegui redescobrir a minha melhor amiga e deixar um novo e imenso amor por ela nascer no meu coração. Pedi perdão a ela (e aos que prejudiquei). Prontamente ela me perdoou com aquele sorriso de mãe que desmonta a gente e nos faz sentir como um bebê. Fui deixando ela se aproximar para me conquistar e cuidar de mim. Nosso relacionamento é de amigas, estamos unidas em todos os momentos, em qualquer situação. Quando surgem as dificuldades, nós nos aproximamos ainda mais porque somos uma família muito unida — porque minha mãe orou por mim.

Sou agradecida por essa fé e esse amor puro, genuíno, intocável, que vem do próprio Deus e que é até um espelho do amor dele por todo ser humano. Hoje sou feliz, livre, trabalho com minha mãe, somos superamigas, voltei a sorrir, sorrio até demais. Eu me encontrei, preenchi meu vazio. A fé da minha mãe foi e tem sido um exemplo de vida. Também sou amiga dos meus irmãos, amo minha família, enxergo-me de uma maneira positiva, superei os complexos, tenho uma saúde perfeita e por onde minha mãe passa, hoje ela ouve coisas boas a meu respeito, e não mais reclamações como antes.

Todos os que não acreditavam em um futuro para mim hoje veem o poder da oração de minha mãe e um novo futuro sendo construído para mim. Ela continua orando pela minha vida, e eu a admiro e amo de uma maneira inexplicável. Meu amor e minha gratidão crescem e se renovam a cada dia por Deus e por ela. Então, aproveito para agradecer por tudo, por cada oração, pela paciência e por nunca desistir de mim. Sei que muitas outras vitórias teremos juntas. A oração de uma mãe pode fazer aquilo que era desprezado virar um referencial positivo. Foi isso que a oração de minha mãe provocou e provoca em minha vida.

Eu odiava a minha mãe

Carol Sebastian

É difícil escrever sobre o passado, não por ser algo doloroso, mas graças ao Senhor da minha vida, a sensação que tenho hoje é a de que aquela vida tão sem vida não pertenceu a mim. Quando criança, o retrato que eu tinha de nossa família era o mais perfeito possível. Não via problemas, e até então não sabíamos o que era dificuldade ou necessidade, pois não faltava nada.

Aos nove anos, essa ilusão criada em minha mente foi destruída, e passei a viver o maior pesadelo. Minha mãe entrou numa terrível depressão, e meu pai, que tinha uma marmoraria na época, perdeu tudo. A situação financeira ficou terrível até que o inevitável acontecesse: meus pais se separaram.

Fomos com o meu pai morar na casa de nossa avó paterna. Éramos crianças rebeldes, mimadas, machucadas, sem saber direito o que acontecia e sem ter contato nenhum com a nossa mãe. Naquele momento, o sentimento que passou a dominar o meu interior foi o ódio de tudo, principalmente de minha mãe. Era uma tristeza profunda. Depois de um tempo, meus irmãos voltaram a morar com minha mãe, mas eu não aceitava. Não conseguia admitir que, depois de tanto tempo, eu teria de voltar e viver a vida como se nada tivesse acontecido porque, para mim, tínhamos sido abandonados. Por isso, fiquei muito tempo sem falar com ela e com os meus irmãos.

Por falta da figura materna, fui crescendo sem direção e sem a orientação necessária para aprender a me cuidar, descobrir o meu corpo, ser mulher. Meu pai conversava comigo, mas não era a mesma coisa. Então, tudo o que aprendi foi sozinha, com amigas, na escola. Algumas vezes, tentei contato com minha mãe por intermédio da minha irmã, Mari, mas a resposta era sempre negativa, para minha decepção. Por causa do mal espiritual, só nos afastávamos cada vez mais, criando intriga entre mim e minha mãe.

Meu relacionamento com ela era terrível. No telefone, desligávamos uma na cara da outra. Em algumas vezes que nos encontramos, cheguei a agredi-la fisicamente. Não a respeitava e vivia dizendo que queria que ela morresse, que isso seria um grande favor. Na minha cabeça, eu estava fazendo tudo e ela não estava nem aí.

Tudo isso causou a morte dela dentro de mim. Vivia como se ela não existisse. Ficamos uns dois ou três anos sem nos falar. Lembro-me de uma briga como aquelas de cinema. Naquele dia saí de mim, é impossível esquecer. A sensação era de que eu não mandava no meu corpo, o ódio tomava conta de mim e me dominava. Jogada no chão, gritando, ofendi minha mãe, falei coisas horríveis, inclusive que queria que ela morresse e que não adiantava ela querer mudar isso. Fui embora pedindo para que não me procurasse mais.

Alguns dias depois, meu tio me ligou e disse que ela tinha sofrido um grave acidente, tomado quatro tiros, e que estava em estado grave no hospital por causa de uma tentativa de assalto que havia sofrido. Nessa hora, a vontade que tive foi de estar no lugar dela. Senti aquele nó na garganta e tudo o que queria naquele momento era visitá-la. Quando cheguei ao hospital, o corredor parecia infinito até a porta do quarto em que ela estava, por causa do medo do que poderia acontecer; ao mesmo tempo, queria que tudo mudasse naquele dia. Só não via como isso poderia acontecer.

Entrei no quarto escuro e vi minha mãe, aquela guerreira, com dor, mas sabia que maior era a dor dentro dela de ver o que estava acontecendo com a nossa vida e como eu sempre estava pronta para feri-la com as minhas palavras. Naquele instante, as lágrimas escorriam e, ao mesmo tempo, sentia alívio por saber que ela ficaria bem. As palavras dela nessa hora foram de carinho. Ela me pediu perdão, disse que eu a havia ensinado a ser mãe e o quanto me amava. Apesar do meu coração endurecido, resolvi tentar mudar.

Acompanhei a recuperação dela e, durante alguns meses, nós nos entendemos. Mas a mudança só vem quando o mal sai, e como isso ainda não tinha acontecido, voltamos à estaca zero. Após nova briga, novamente ficamos mais alguns anos sem nos falar. Eu saía para baladas e me envolvia com amizades erradas. Ia viajar e fazia tudo o que um pai e uma mãe com toda certeza não sonham para seus filhos. Mentia, cabulava aulas no parque, dizia na escola que minha mãe estava com doenças graves, que precisava ajudá-la e faltava quase o mês inteiro sem ninguém saber, até meu pai descobrir. Em casa, não deixava isso transparecer. Experimentei alguns tipos de drogas, bebia muito, beijava mais de um menino a cada festa que ia e dançava a noite toda, mas quando chegava em casa e deitava, o vazio era tão grande e a vida que eu vivia, tão ilusória, sem sentido, sem meta, sem projetos, sem objetivos, realmente um fracasso.

Nunca quis me casar por ver o que havia acontecido com os meus pais. Por ninguém na minha família ser realizado no amor, sempre achei isso impossível, então não queria nada sério. Tinha namoros rápidos e acontecia comigo o que faz muita gente sofrer: quando eu amava, não me amavam, e quando diziam "eu te amo", eu queria distância, tinha nojo.

Por um trauma vivido, passei a ter medo da vida íntima e cheguei a pensar que os homens não valiam a pena — eu poderia ter tentado até me relacionar com alguma mulher, mas isso, graças a Deus, não aconteceu. Um dos únicos namoros que durou um pouco acabou por uma traição desse namorado com uma das minhas melhores amigas. Só desilusão.

Sem acreditar em mim, totalmente desmotivada, sem rumo, sentindo-me sozinha, desprezada, procurei ajuda em tratamentos psicológicos, mas isso não foi o suficiente — médico nenhum pode curar a nossa alma. Porém, numa tarde, triste e sozinha em casa, pois meu pai viajara (algo que era comum no seu trabalho), assisti a uma propaganda de margarina que lembrava muito a minha família antes de tudo aquilo acontecer. Quando éramos pequenos, a Mari tinha mania de colocar o copo de leite bem no cantinho da mesa, e todo dia deixava cair. O Lucas era o bebê mais fofo do mundo. Minha mãe ficava doidinha com a gente, e era exatamente essa imagem que o comercial passava. Na mesma hora, liguei para minha mãe, chorando e dizendo que estava com saudades e o que ouvi do outro lado foi: "Minha amada filha, você não sabe o quanto esperei essa ligação."

As orações dela e seu sacrifício começariam ali a trazer o resultado de sete anos de espera. Então saímos juntas, e depois de uma longa conversa, resolvemos nos dar a oportunidade de começar de novo. Fui passar alguns dias que se tornaram alguns anos na casa daquela mulher maravilhosa, batalhadora, guerreira, fiel, especial, exemplo de fé e de oração, realmente de Deus, que é a minha mãe, Lorena, com quem pude aprender o caminho da fé e com quem aprendo até hoje.

Certo dia, Mari me fez uma proposta pela qual sou extremamente grata. Ela me convidou para participar de uma reunião na igreja. Precisava dar essa chance a mim mesma — afinal, não tinha nada a perder. Lancei-me de corpo e alma nessa caminhada que não foi nem um pouco fácil. Aos poucos fui entendendo o que tinha de fazer e fiz a minha escolha.

Jesus me libertou, me curou, restaurou a minha vida, fez a obra completa e o principal: num dia daqueles em que ninguém me queria, pude ver os meus pecados, o quão desprezível eu era e o quanto precisava de Deus. Ele me amou primeiro e me fez conhecer seu imenso amor. Fez morada em mim, envolveu a minha vida de tal maneira e colocou a certeza de que sempre estaria comigo. Devolveu o sorriso aos meus lábios, ensinou-me a confiar e a ser perseverante, mesmo em meio às tribulações, e a olhar somente para o alto e para frente. Mostrou-me como entregar tudo, sem reservas, e me dedicar a esse grande amor. Não sou nada sem esse Deus maravilhoso que me transformou e fez a diferença na minha vida. Ele é o nosso tesouro.

Hoje sou feliz, tenho um ótimo relacionamento com a minha mãe (minha melhor amiga), com a Mari (essa fofa de Deus) e com meu irmão (homem abençoado). Casei-me com um homem de Deus, Moisés, que está sempre ao meu lado, que me ensina e me ajuda a ser uma pessoa melhor, desenvolvendo-me na fé, e com quem estou tendo o privilégio de levar essa Palavra e o Deus que me salvou para as pessoas que sofrem. Quero continuar a viver essa nova vida, essa fé a cada dia por ele e para ele sempre.

Agradeço ao meu Deus, em primeiro lugar, pela grande oportunidade, e depois à minha mãe porque, com certeza, não estaria aqui escrevendo tudo isso se não fosse por ela. Obrigada pelas suas incessantes orações e por acreditar em mim, mãe. Eu amo você.

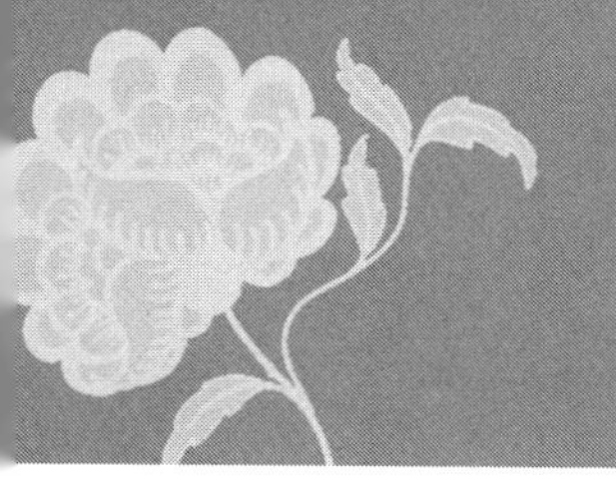

Convite: festa de um ano de meu renovado bebê

Lorena Sebastian

Escrevo lembrando-me do dia em que ele deu os primeiros sinais de que chegaria. Momentos de muita dor, desprezo, abandono, solidão, orgulho ferido, confusão, ódio e mágoa assolando seu coração, um desejo de sumir e não mais encontrar nada nem ninguém do passado tão presente. Foi assim que, dentro do ventre do mundo, ele cresceu, fazendo escolhas pessoais que deixaram sua alma e seu coração em frangalhos. E nós, por intermédio da fé, dentro do ventre de Deus, fomos gerando um novo bebê. Crendo, orando, jejuando, clamando, sacrificando e determinando, fui me preparando para a hora do parto.

Num dia muito especial, depois de passar pelo altar de minha igreja, derramando tudo de mim aos pés de Jesus, voltei para casa para aguardar a chegada do filho que esteve sempre tão longe dos sonhos que para ele um dia sonhei. Preparando o jantar, a campainha tocou. Veio uma forte contração que me esfriou a alma.

Abri a porta e lá estava ele: meu bebê chegara! A mão de Deus, como uma cegonha, trouxe-o do fundo do poço. Finalmente de volta aos meus braços, depois de tantos anos de espera, todo sujo, abatido, triste, humilhado, perdido, sem ter para onde ir, depois de ter sido jogado fora por pessoas que ele jamais imaginaria que seriam capazes disso. Sem dinheiro, casa, comida, estudo, com vícios e todos os sonhos destruídos. Eu o abracei e o deixei entrar. O *berço* há muito tempo já estava preparado, ungido e consagrado a Deus. Ali foi colocado o filho tão esperado que, finalmente, estava de volta.

Aquele primeiro ano não foi fácil. Precisávamos nos conhecer novamente, impor limites, regras e recomeçar um processo de reeducação geral que um dia fora interrompido. O choque foi inevitável. Um bebê muda a rotina de qualquer lar. Mas vivendo a fé na Palavra de Deus e usando muitas armas espirituais preciosas para vencer grandes lutas, a convivência foi sendo restabelecida. Com muita determinação e perseverança, colocamos *os pingos nos is.*

Com um ano de nova vida, já temos grandes avanços: a autoestima recuperada a cada dia, a vontade de viver e ser alguém brotando dentro de si, uma carreira profissional em constante expansão, esportes e cuidados pessoais voluntários, o sorriso cada dia mais frequente, o sono tranquilo, a responsabilidade consigo e com os compromissos assumidos. Sem contar os detalhes e mimos com os quais me surpreende no dia a dia, fazendo apagar todos os dias de agonia, indiferença, rebeldia.

Agora, em troca, colho bilhetinhos com palavras doces como "eu te amo" e "obrigado", perfumes e maquiagem de marcas de que gosto, doces especiais no caminho de volta para casa, pizza surpresa. E até avisa quando vai voltar mais tarde. Hoje mesmo ganhei meu refrigerante preferido, acompanhado de um pacote de macarrão de letrinhas para nossa sopa no jantar que ele foi buscar no mercado. E ainda me deu um beijo sem eu pedir. Até a senha do seu cartão de crédito, se por acaso precisarmos.

Descrevo esses detalhes para revelar a grandiosidade do que está acontecendo. Em um ano, quantas mudanças! O ódio e a rebeldia têm sido pouco a pouco banidos por meio das correntes de oração, que funcionam como verdadeiras vassouras espirituais no coração mais rochoso.

Os primeiro passinhos para uma nova vida estão sendo dados. A insegurança, os medos e as tensões dessa fase inicial estão sendo superados. Com certeza, em breve verei meu bebê caminhando a passos firmes rumo ao bem maior: a salvação.

Nesta data especial, comemoro com as Mães em Oração o primeiro ano da nova vida de meu bebê. Mães em Oração foi a ala da maternidade usada por Deus para trazer de volta esse bebê tão esperado, com direito aos auxílios de uma linda enfermeira de plantão, minha querida filha Mariana, que já teve também a oportunidade de relatar aqui sua transformação de vida.

Minha gratidão a Deus e a todas as mães que, de joelhos no chão, em meio a muitas lutas, com muito amor, uniram a fé e me ajudaram de várias formas, regando com lágrimas a semente que tem se transformado nesse fruto chamado Lucas.

Compromisso é compromisso

Isis Regina

O compromisso está firmado? Então vamos em frente! Há problemas que fogem à nossa capacidade humana. Sabemos que são problemas espirituais, que somente Deus pode resolver. Deus, porém, necessita canalizar seu poder por intermédio de nossa fé, que vai da prática do que cremos até nossas orações perseverantes. Faça chuva, faça sol, compromisso é compromisso, pois nada pode impedir uma oração, não é mesmo? Se desejamos a fidelidade de Deus, também temos de ser no que nos propomos a fazer.

Pare de chorar e lamentar. Enxugue essas lágrimas e use a força que há em você através de sua fé. Quer vencer? Lute. Quer esmagar essa dor que a afronta? Parta para cima dela com sua fé em nome de Jesus. Quando vamos em frente, o mal retrocede.

Não cesse de orar, de crer, de confiar, pois, quanto mais próxima a vitória, maior a batalha. Saiba que muitos desistem a um passo da vitória e, no extremo cansaço e desgaste, perecem levados pelas lástimas de um velho coração cansado de sofrer. Por isso, cuide-se e cuide principalmente de sua fé, pois é por intermédio dela, com mais um passo à frente, que verá o diamante brilhante que sua perseverança gerou.

Mantenha-se surda para as dúvidas; muda para as palavras de derrota; cega para a mentira que cerca seus filhos. Ouça somente a voz de Deus. Fale sobre o que crê. Veja o que espera através de sua fé. "Quem é você [...] para que esqueça o SENHOR, aquele que fez você, que estendeu os céus e lançou os alicerces da terra, para que você viva diariamente, constantemente apavorada por causa da ira do opressor, que está inclinado a destruir? Pois onde está a ira do opressor?" (Isaías 51:12-13).

Mãe, nossos filhos são bênçãos porque estão entregues nas mãos de Deus. O mal não pode tocá-los jamais. Levante-se e creia — sua vitória está em suas mãos!

O encontro de uma mãe

Isis Regina

Ela segue pela rua, caminhando. Uma mãe aflita sem direção. Carros buzinam por causa de sua falta de atenção. Com sua face voltada para o chão e seu olhar escondido em meio à multidão, carrega um mar de lágrimas. "O que fiz de errado? Por que esse problema com meu filho? Não aguento mais!" Com a voz amargurada pela dor, ela grita em silêncio... Somente Deus pode ouvi-la gritar do mais fundo de seu interior. Ela segue pedindo ajuda, à procura de um milagre, em busca de salvação.

Uma mão estranha se estende em sua direção e lhe entrega um folheto. E com um largo sorriso no rosto, afirma que há solução. Ela chega em casa, ouve no rádio a programação que o folheto indica e uma história como a sua chama a atenção. Para sua surpresa, o fim daquele relato é feliz. Aquelas palavras lhe fazem bem, tão bem que, depois de alguns dias, ela decide ir para ver de perto tudo o que ouvira. Nesse dia, a mãe registra, então, o encontro que mudou a sua vida.

A Palavra de Deus anunciada a apresenta ao Salvador, o Senhor dos senhores. Ela entrega sua vida nas mãos de Deus, e então o vazio é banido de seu coração. Já não chora mais pelos cantos, mesmo diante de suas lutas. Agora ela tem uma certeza que lhe proporciona a paz que as palavras não conseguem descrever. Todos os dias, ela luta fortalecida em sua fé. Ela ora, agindo com sabedoria. Seu comportamento a diferencia entre o antes e o agora. Quem é essa mãe que se mantém firme e inabalável?

Ela se torna uma mulher que carrega o perfume da vitória. Agora é uma Mãe em Oração porque em Deus encontrou a salvação. Toda a diferença provocada por esse encontro gerou uma revolução em sua vida. E então, quando menos espera, seu filho liga pedindo perdão, pedindo ajuda para também encontrar a salvação.

A mesma história se repete na vida de muitas mães que tiveram um encontro com Deus. Ela pode ser contada a partir de diferentes cenas e cronologias, mas todas são concluídas da mesma maneira feliz: os problemas são enfrentados e superados, e a vida começa novamente!

Mãe, não existem palavras mágicas nem varinhas de condão. O que existe é a fé e a prática da Palavra de Deus como solução. Se isso ainda não aconteceu, hoje mesmo você pode ter esse encontro e ver sua vida transformada. "Seus filhos se levantam e a elogiam" (Provérbios 31:28). Somente o encontro com Deus torna isso possível.

Minha mãe orou por mim

Isis Regina

O poder da oração de uma mãe

Uma *Mãe em Oração* não se curva diante do mal porque tem sua vida diante de Deus.

Uma *Mãe em Oração* pode, por vezes, chegar a chorar, mas logo reage, usando a fé que seca o pranto, e persevera até ver sua vitória alcançada.

Uma *Mãe em Oração* desconhece as impossibilidades porque crê apenas nas possibilidades em Deus, e para ele não há impossíveis.

Uma *Mãe em Oração* sabe esperar sem cansar porque exercita diariamente sua fé.

Uma *Mãe em Oração* está sempre atenta e busca sabedoria. Ela sabe que a fé e a inteligência trabalham juntas.

Uma *Mãe em Oração* entende que lutar é inevitável, mas vencer é uma opção de quem vive pela fé e tem coragem de se sacrificar pelo seu sonho.

Uma *Mãe em Oração* tem a consciência daquele em quem tem crido, pois fiel é o Deus que fez a promessa.

Uma *Mãe em Oração* é aquela que passa pelas águas com a certeza de que Deus está com ela; passa pelos rios e eles não a submergem; passa pelo fogo e ele não a consome, nem a chama arde com seu calor.

Uma *Mãe em Oração*, que usa a sabedoria, observa que, assim como a árvore boa produz bons frutos, quando os galhos estão secos, a raiz ruim tem de ser arrancada para que nada impeça a árvore de crescer e florescer.

Uma *Mãe em Oração* tem a visão da fé e não teme o presente, pois ele será o passado que ajudará a contar as grandezas de Deus quando o futuro que ela espera chegar. E isso será antes do que imagina. Temos certeza disso, em nome de Jesus. Conte conosco, vamos lutar lado a lado com você. Assim como minha mãe orou por mim e hoje também sou uma *Mãe em Oração*, não desista jamais porque os frutos de sua fé brotarão.

Por que participar de Mães em Oração

Ana Claudia Brito

Hoje despertei às cinco da manhã com uma mensagem muito extensa em meu celular. Era da senhora que me ajuda na faxina da casa, avisando que não poderia vir porque seus filhos estavam brigando e quase havia acontecido uma tragédia. Depois de ligar para ela e tranquilizá-la, uma pergunta não saiu mais de minha cabeça: por que eu ou qualquer outra mãe devemos participar de Mães em Oração?

Por instinto ou por obrigação, uma mãe se realiza em cumprir bem o seu papel. Humanamente falando, nada nos faz mais felizes do que ver a felicidade de nossos filhos, assim como nada nos faz mais tristes do que ver o fracasso deles. A primeira resposta que encontro para minha pergunta é que, quando escrevemos o nome de nossos filhos no livro, nós nos comprometemos em ajudá-los a seguir adiante. Uma mãe que não ora por seus filhos é igual a uma mãe que está com seu peito cheio de leite, vê o filho chorar de fome, mas não quer ajudá-lo, ainda que para ela não custe nada.

A segunda resposta é que, quando também ofereço meu tempo, meu jejum e minhas orações pelo filho de alguém, acabo por receber tudo isso de volta, já que certamente alguma mãe está fazendo o mesmo por meus filhos. A Bíblia é muito clara quando diz que é dando que se recebe.

Geralmente, as mães que entram nesse propósito chegam com alguma história muito triste sobre seus filhos. É muito comum encontrarmos mães esgotadas, sofridas de tanto lutar com a força de seus braços. Creio que a terceira resposta é que, quando escrevemos os nomes de nossos filhos no livro, recebemos força para não desistirmos. É um ato de fé somado ao esforço de um sacrifício.

Tenho certeza de que poderia somar muito mais itens a essa lista, mas a resposta-chave à minha pergunta é que ganho tempo porque saio na frente de qualquer mal para abençoar meus filhos.

O segredo da oração

Ester Bezerra

Se a mãe tem o Senhor Jesus como o seu único intercessor, ela tem o canal de acesso direto ao trono de Deus. A confiança é de fato e de verdade.

Detalhe: cedo, o primeiro pensamento é para o seu Senhor e Salvador.

Então ela tem direitos. Pode e deve orar assim: "De manhã ouves, SENHOR, o meu clamor; de manhã te apresento a minha oração e aguardo com esperança" (Salmos 5:3).

Conheça, acompanhe e participe do blog Mães em Oração:
www.maesemoracao.com

Este livro foi composto em Centaur MT e impresso pela Edigráfica sobre papel Chambril Avena 80g para a Thomas Nelson Brasil em 2013.